ねこ背は治る！

知るだけで体が改善する「4つの意識」

一義流気功治療院院長
小池義孝

自由国民社

はじめに

この本を読めば、あなたのねこ背は治ります。

なぜならこの本には、世の中でほとんど知られていなかった〝本当のねこ背になる理由〟が書いてあるからです。

あなたのねこ背が治らなかったのは、ねこ背のメカニズムを知らなかったからです。それを知ってしまえば、自動的に正しいねこ背の治し方もわかります。背筋を意識して伸ばす努力、背筋矯正グッズなどは、あまり意味がありません。まして筋力トレーニングなどは、本当は病的に弱っている人だけのためのものです。

たった10~20分でねこ背を治してしまうセミナーがあると言われて、あなたは信じますか？　このセミナーは実在しました。なぜなら私が開催して、多くの人をねこ背から解放してきたからです。

知識や認識で間違えてしまうと、そこから考えたものや推測は、すべてが見当はずれになります。おそらくあなたが聞いてきた情報のすべては、見当はずれのものだったでしょう。もしそれらが本質を得たものであったなら、あなたは今、この本に興味を持っていないはずですから。

けれども最初に正しい知識を持てば、その先は見事に、きれいに〝決まる〟のです。そして本当の〝正しい〟姿勢は、あなたをクールに前向きにします。セミナーを受けて実感したすべての人が、この感動を味わっています。

あなたもぜひ、その仲間に入ってください。

またこの本は、**呼吸の深さ、腕力の強さ、歩くスピード**についても書かれています。これらもただ、正しい知識を得るだけで、すべてが変わってしまいます。

呼吸の深さと言っても、そのメリットにピンと来る人は少ないかもしれません。しかしこの本に書かれている内容を教えただけで、骨盤の歪みが治ってしまったり、肩こりが軽くなった人がいると聞いたら、興味が出てきませんか？　呼吸が深くなることは、あなたの健康に素晴らしい効果があるのです。そしてあなたの呼吸は、今よりももっと深くなります。

腕力が強く発揮できるようになると、腰痛が予防できるのはなぜだと思いますか？

この本に書かれたように歩いていると、普通にウォーキングをするよりも、どんどん健康になる理由を知ってみたくはないですか？

これらすべてが、今、あなたの手の中にあります！

自己紹介が遅くなりましたけれども、私は一義流気功という名前で気功治療院を運営している、小池義孝《こいけよしたか》といいます。医師とはまた別の観点からの、人の心と身体、健康についての専門家です。

私はクライアント一人一人に貢献できる事に大きな喜びを感じていますが、それとは別に、「もっと多くの人達にも貢献したい」という気持ちが強くあります。気功治療という形だけではなく、私にできることは、何でもしたいのです。

ここには、一般的にあまりなじみのない難しい〝気〟や〝気功〟の話はほとんどありません。誰でも無理なく理解できるように、精一杯、わかりやすく書きました。

この本には、「あなたに健康になってもらいたい」「あなたにより豊かな人生を送ってもらいたい」という思いが、たくさん込められています。

今、こうしてあなたと出会えた事を、とても嬉しく感じています。

目次

第1章 知れば、呼吸が深くなる！

目次

第2章 知れば、ねこ背が治る!――67

第3章
知れば、腕力が上がる！ —— 115

第1章

知れば、呼吸が深くなる!

あなたの呼吸は浅くなっています

多くの人は、自分の呼吸が浅いと考えたことがありません。いつもの何も考えないでしている呼吸が深いか浅いかなんて、そうそう考える機会はありません。浅い呼吸しか知らない人は、自分の呼吸に何も疑問を持たないでしょう。

そして**実はその呼吸の浅さが、深いところで健康の足を引っ張っている**なんて、まったく考えていないに違いありません。

ここで断言してしまいますが、**あなたの呼吸は浅くなっています！**

なぜ、そんな事が言えてしまうのでしょうか？　それはこの呼吸の章でお話しする内容を、きっと、あなたは知らないからです。

そして知れば、その瞬間から、あなたの呼吸は深くなります。

トレーニングや訓練などは、何も必要ありません。

本当に簡単なことです。

私は東京都の荒川区で気功治療院を運営しています。

気功と言えば呼吸法のイメージを強く持っておられる方も多いと思いますが、ここでご紹介するのは呼吸法ではありません。

ただ呼吸について、**正しい知識**を知ってもらうだけです。

世の中に呼吸法はたくさん存在していて、多くの本も出版されています。ですが呼吸法の前に、ここでご紹介する知識の方がまず優先です。さまざまな難しい呼吸法を学ぶよりも、ここでご紹介するものの方が、はるかに役に立ちます。

呼吸は生命活動の根幹

人の健康を考えたときに、呼吸の深さはかなり重要なものの一つです。治療中、呼吸が深くなるというステップに入ると、身体はどんどんと良くなっていきます。**呼吸の深さは、正にその人の生命力を引き上げてくれます。**

治療院の現場で患者さんを見ていると、最初から充分に深い呼吸ができている人はほとんどいません。ゼロに近いと言ってもよいと思います。

重い症状で深刻な状態の人も、これといった目立つ症状のない健康と思われる人でも、呼吸が浅くなっているのが実際です。問題なく呼吸が深いという人には、滅多にお目にかかれません。

呼吸の浅さには段階がありますが、中にはまったく胸が動かないようなケースもあります。

呼吸は人間の生命活動の根幹です。

人間は食べ物がなくても、水さえあれば1カ月は生きられると言われていますが、酸素が途絶えればひとたまりもありません。15分ほどで心肺停止状態になります。

また全身の約60兆個の細胞すべてが、酸素をエネルギー源として必要としています。もし酸素が身体に行き渡らなければ、最悪の場合、細胞は死んでしまいます。

通常の生活で、細胞が次々と死んでしまうような酸欠状態はあまり考えられません。けれども呼吸活動が万全で、充分な酸素量で身体が満たされている訳でもありません。何らかの事情で呼吸が浅くなり、多かれ少なかれ、酸欠状態に置かれている人の方がはるかに多くなっています。**万全ではないという意味であれば、ほぼ全員が当てはまります。**

しかもこの酸欠状態は、ほとんどの人が自覚できていません。健康診断でも指摘されませんし、お医者さんも教えてくれません。これは間違いなく、人間の健康を脅かす隠れた要素になっています。私の患者さんの中でも、呼吸が深く改善して初めて、それまでの呼吸の浅さに気付く人が多いです。何年も浅い呼吸の中で生活してきて、それが普通で正常だと思い込んでいたのです。

では具体的に、呼吸が浅くなってしまうと、身体の中で何が起こるのでしょうか？

酸欠状態の恐ろしさ

人間の身体は取り込める酸素量が少なくなると、その少ない酸素で、何とかやり繰りをしてバランスを取ろうとします。すべての組織や細胞が、平等に酸素不足になってしまう訳ではありません。つまり優先順位を決めて、酸素の配分調整をします。

それをするときに、まず重要なのは「死なない」ことです。脳や内臓の機能が落ちてしまったら危ないので、こうした生命活動の大切な部分は優先的に守ろうとします。

その分、どこかを酸欠にせざるを得ないことになります。歩いたり、立ち上がったり、手をついたりする、身体を動かすための筋肉にしわ寄せが行く形になります。家計を預かる主婦が、限られた収入の中で、懸命にやり繰りをして頑張っている姿に似ています。

しかし優先順位が下になってしまっても、その組織や細胞を殺してしまうほど、追い込んではいけません。細胞が生き続けられるぐらいの、最低限の供給は行おうとします。

その結果、全身の筋肉のあちらこちらに、**死ぬほどではないけれども満足に機能できない部分**が作られてしまいます。

また身体はその際にも、筋肉と筋肉との間で調整を行っているかもしれません。

足を上げたり、身体をねじったり、ある動作を行う際には、通常は複数の筋肉が協同して作業に当たっています。歩けなくなるなど、特定の動作がまったくできなくなってしまわないよう、身体は何とかバランスを取ろうとします。

脳や内臓ほどには重要と考えていなくても、歩けなかったり起き上がれなかったりしたら、それはそれで深刻な状態です。場合によっては生命の危機ですらあります。

ですから、よほどの不足でない限り、筋肉を酸欠で追い詰めるようなやり方はしません。

この無意識の調整が、**自覚できない酸欠の問題**を深刻にしています。

その人は日常生活に特別な支障を感じておらず、自分の身体の機能が落ちている事実すら把握できずに、毎日を過ごしていってしまうからです。

ですがこの**筋肉の酸欠状態は、筋力検査をすれば、すぐに明るみに出ます。**

治療院の現場でも、特定の筋肉にほとんど力を入れられない状態だけれども、本人は特に日常で問題を感じていなかった例が数多く確認されています。原因は酸欠だけの問題とは限りませんが、呼吸が改善されたときに、ケースの多くが同時に改善される傾向があります。

この配分調整の動きは、現代医療の目を惑わせているようです。

現代医療では酸欠状態か否かを、「血中酸素濃度」の測定によって判断します。けれどもこの測定方法では、今お話ししているような酸欠状態は出てきません。

ある高齢の入院患者さんに出張施術を行った時のことです。

あまりに呼吸が浅く、顔色も暗く悪くなっていました。

本人も息苦しさを感じており、息も絶え絶えでまともに話をするのも難しい状態です。施術によって呼吸が深く楽になると、顔色も健康的な赤みが出てきました。

そこで話をお伺いして、驚きました。

血中酸素濃度が正常値であったため、病院で呼吸には何も対処をしていなかったのです。

見れば息苦しそうで顔色も悪い。素人目にも異常が明らかな患者さんを、数値上は正常だと放置していたのです。

この部分については、医療の分野も、早急に考え直してほしいです。


これは余談になります。

治療院にいらしたある女性のお話です。

体力の減退が深刻で、背筋力が**22キロ**くらいしかありません。これは子供や普通の女性の握力ほどの数値です。

私は驚きました。こんな数値の背筋力でも、立って歩いて、バッグを持って自力で治療院までやって来れたのですから。

背筋力が22キロというのは、健康状態としては相当な追い込まれ方です。それでもできる範囲で、懸命にバランスを取って機能させているのです。この健気な頑張りに、私は思わず感動していました。

ご本人もその数字の意外な低さに、やはり驚いていました。

その患者さんは、幸いにも一回の施術で、**22キロ→45キロ**にまで回復しました。ここまでくれば、背筋力の数値としては一安心です。

ここで、

「では呼吸の浅さは、現実にはほぼ無害で、問題ないのではないか？」

と疑問を持たれる方もいるかもしれません。

けれどもそれは違います。

筋肉が酸欠を起こせば、柔軟性が損なわれ、硬直してしまいます。

それは血流を悪くさせ、身体を冷やします。

血流の悪さと身体の冷えは、東洋医学で言われる〝未病〟状態です。

未《ま》だ病気ではないけれども、その予備軍で、いつどんな病気になっても不思議ではない、危険な状況です。

実は現代社会の多くの人が、未病状態で生活しています。そして問題なく健康だと考えている多くの人も、未病の少し上にいるだけで、あまり差がありません。

慢性的な酸素の欠乏は、このようにして、結局はその人の生命活動の中枢を脅かしてしまいます。

またそれがさらに呼吸を浅くさせる原因になり、悪循環に陥っていきます。

主婦の家計のやり繰りに例えると、少ない収入の状況があまりに長く続き、やがて家計が破たんしてしまうようなものです。

もちろん人間の生活は、支え合うことや考え方ひとつ、さまざまな工夫で何とか乗り切れるかもしれません。

しかし酸素の欠乏は、人間の生命活動の根幹にかかわります。

その他の何かでは補えません。

自分の呼吸を確認してみよう

呼吸が浅くなるのには、さまざまな原因が考えられます。恐れや不安などのストレスでも、呼吸はすぐに浅くなります。姿勢の悪さも関係します。

しかしその原因の中に、ほぼ全員が抱えている
「共通の問題」
が存在しています。

この問題を解決するだけでも、あなたの呼吸は大幅に改善できます。

では今から、自分の呼吸の状態を確認してみましょう。

①まず肺が空になるまで吐き切り、ゆっくりと大きく限界まで空気を吸ってください。

⇐

②そしてその時に、自分の身体のどこがどういう風に動いて膨らんだかを、丁寧に観察します。

⇐

③２、３回、繰り返して確認してください。

呼吸を深く、安定させよう

このイラストをよく見てください。

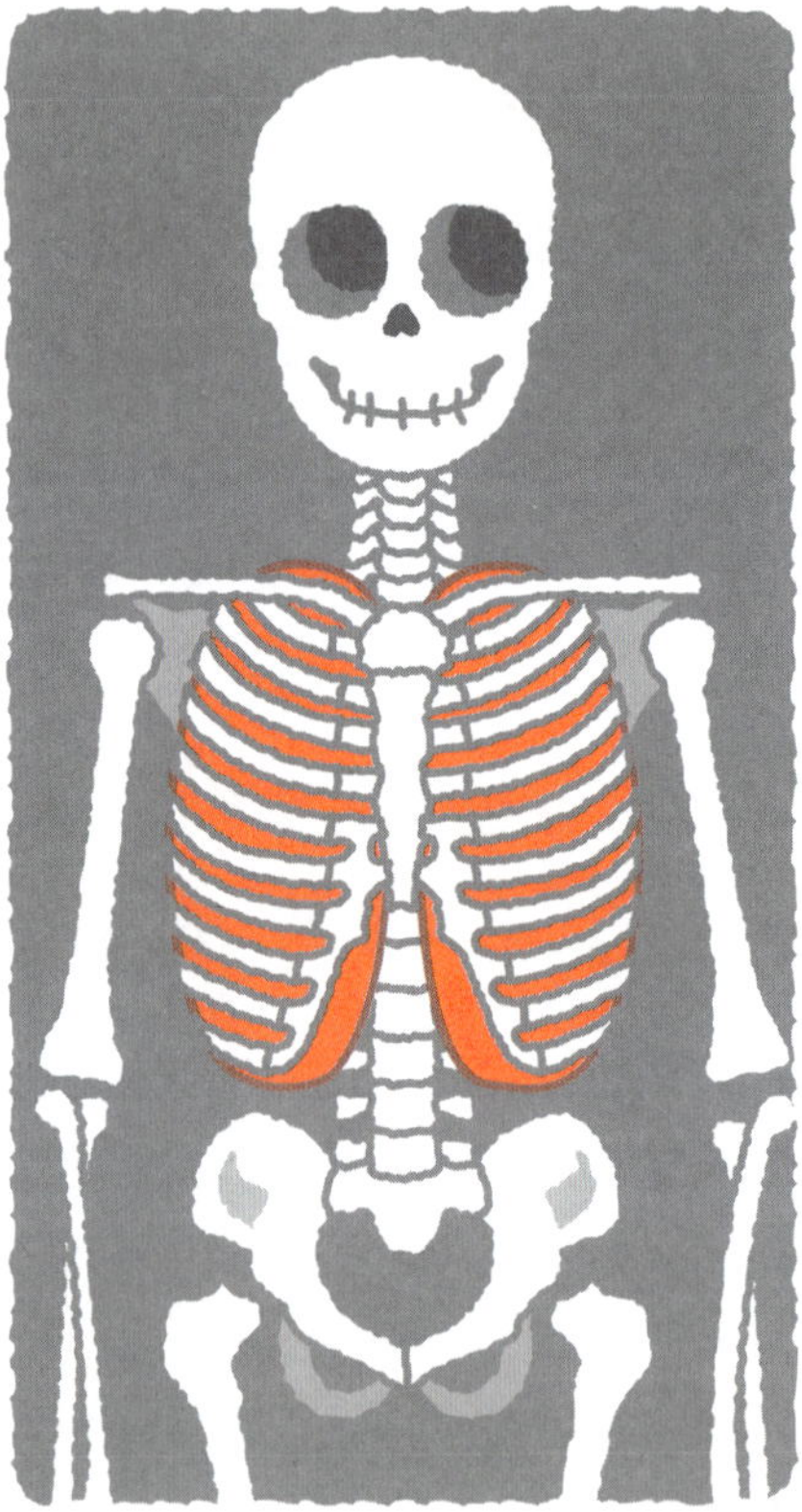

下は肋骨《ろっこつ》の底辺近く、上は鎖骨《さこつ》を少し越えたあたりまで、肺は大きく広がっています。

①このイラストのイメージを、5秒、じっくりと観察してください。
⇐
②そうしたら、先ほどと同じように、ゆっくりと深呼吸してみてください。
⇐
③今度も自分の身体のどこがどういう風に動いて膨らんだかを、丁寧に観察してください。
2、3回、繰り返して確認してください。

どうですか？

胸の上の方、鎖骨近辺が膨らんでくるのが感じられましたか？

もしそれが感じ取れたなら、この試みは大成功です。
ほとんどの人が、違いを感じられると思います。

では次に、**このイラストをご覧ください。**

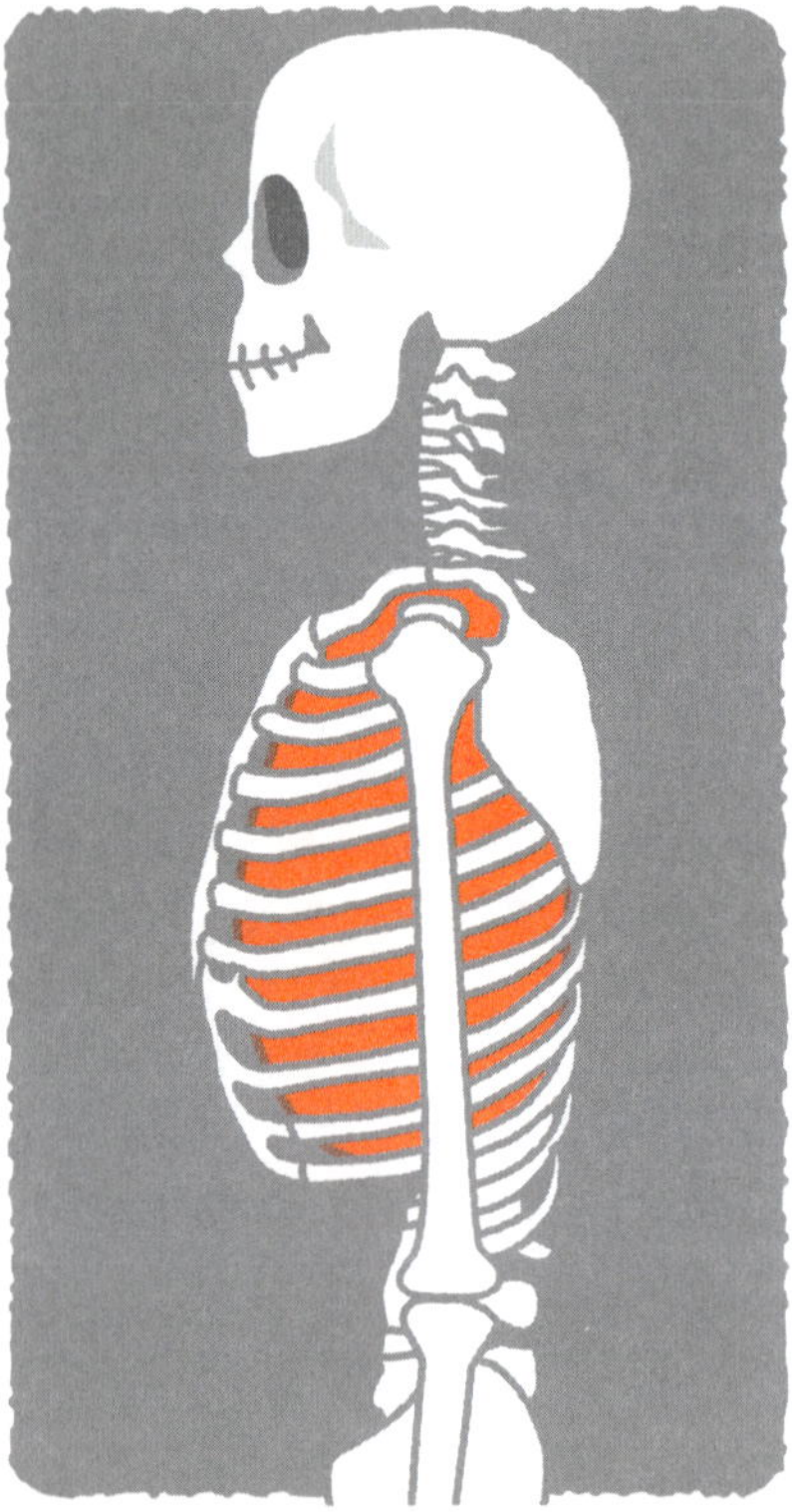

肺は背中側に大きく広がり、背骨の真ん中あたりまで及んでいます。

①このイラストのイメージを、また5秒、
じっくりと観察してください。

⇐

②また同じように、吸う時の身体の動き方をよく観察しながら、
深呼吸を2、3回、繰り返してください。

⇐

③今度は自分の背中が大きく膨らんだのを、
感じ取れましたか？

今さっき確認した鎖骨の周辺も、同時に膨らみが感じ取れているはずです。

今、何が身体に起こったのか？

今、あなたの身体に**何が**起こったのでしょうか？
驚きの中で、この文章を読まれている方も多いはずです。
それをこれから、ご説明します。
まずは**このイラストをご覧ください。**

このイラストは間違っています。けれどもつい数分前までの、あなたの肺の大きさと場所のイメージは、こんな感じでした。厳密には個人差があると思いますが、おそらくは大きくは違わないでしょう。また中には、背中側のイメージは正確だったけれども、まさか鎖骨を越えてくるとは思わなかったという人もいるでしょう。

そうです。

あなたは今まで、肺という臓器の大きさを、小さく小さくイメージしていたのです。

「意識」の大切さ

あなたは今まで、肺のレントゲン写真を、実際にでもテレビでも、見た経験があるかと思います。肺の病気は珍しいものではありません。ですから医療系のドラマでもドキュメンタリー番組でも、もしくは病気になった人の再現ＶＴＲでも、肺のレントゲン写真は、たびたび登場します。

ところがその時の焦点は、肺の形や大きさには向けられていません。レントゲンに写る不審な影など、病巣部分に、あなたの意識は向けられます。肺の上下の大きさは視野には入っていますが、印象として残るには至りません。

医師が棒で病巣部分を指し示すなどの行動があれば、この現象はさらに強固になります。肺がどれほど大きいのかを見ていながら、あなたは何度かあったその機会を逃し、正しい認識を持てなかったということになります。私も見事にその内の一人でしたので、この件について、そんなに偉そうには言えません。


焦点が当たらないものは、認識しない。


これは人間の基本的な性質です。

記憶の中にデータとしては残っても、焦点が当たらない部分については、その事実を認識しないのです。

ではこのことを、今から試してみます。

① まず周囲をゆっくりと見回してみてください。

⇐

②では次に、赤い色、もしくは赤に近い色に気をつけて、周囲を見回してみてください。

どうですか？　先ほどは意識できなかった赤い色の物が、明確に認識できたと思います。もし赤い色がなかった場合には、青でも緑でも、他の色を設定してやってみてください。

視野に入っているものが同じでも、その時の焦点の当て方次第で、こんなにも見える世界が大きく変わります。肺の大きさと形について、正に今の意識されなかった赤と同じ原理が働いていました。

これは目に見える物以外にも、同じ法則が働きます。

耳に聞こえる音もそうです。例えば、鳥の鳴き声を録音して、それを家に持ち帰って聴いてみます。そうすると現場では認識していなかった、さまざまな音があったと気づきます。風の音、風に揺らされ擦れる草の音、遠くで飛ぶヘリコプターの音など、実に多くの音に囲まれていたことを発見します。録音の現場では、焦点が鳥の鳴き声だけに当たっていました。そのため鳥の鳴き声以外の音は、認識できなかったのです。臭いでも触った感じでも、人間の知覚するものすべてに、同様の現象は起こります。私も妻と歩いていて、見えている物がまったく違うことに、よく驚かされます。すれ違った人のファッションについて、妻がよく認識しているのに対して、私はまったくそれを記憶していないときがよくあります。同じ感覚器官を持った人間が、ほぼ同じ視点で歩いているのに、まったく違う世界を生きています。

意識をどこに向けるかによって、その人が認識するものは大きく変わります。

この本は、今まで受け身だけでは取りこぼしていた貴重で役立つ情報に、的確に意識を向けていただくためのものです。

肺の大きさと場所のイメージでも、実はこの「焦点が当たらないものは、認識しない」という法則が働いています。

では何に、焦点が当たっていたのでしょうか？　それは胸の動きです。

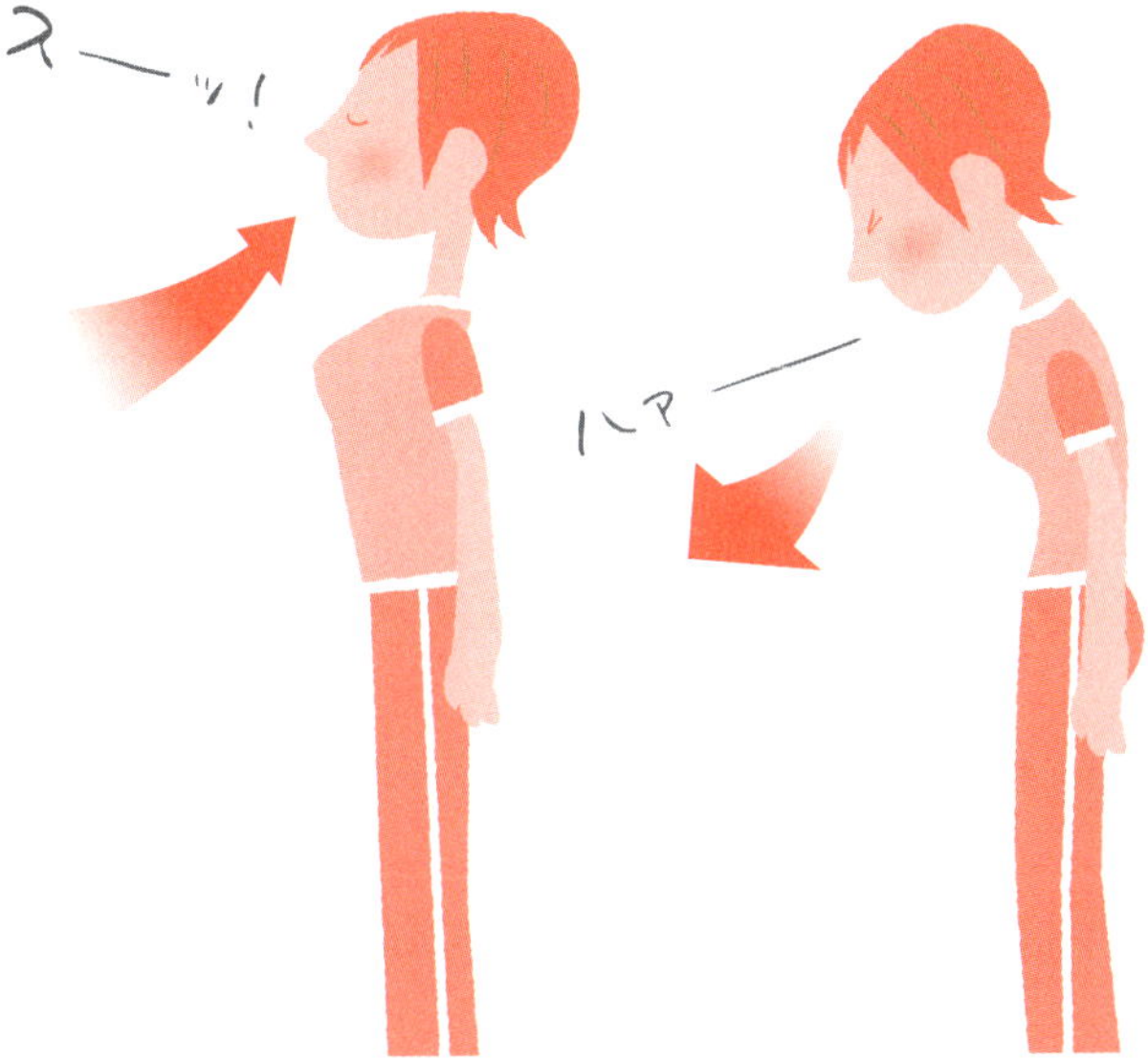

右のイラストをご覧になっていただくと、吸っている時に、胸が大きく膨らんでいる様子がわかります。今まであなたは、この**動き**だけに焦点を当てていたのです。

もちろんこれは、一所懸命に知ろうとして認識していた動きではありません。積極的に意識を向けたものではなく、受け身の姿勢で何となく受け取っていた情報です。この**何となく**というのは、本当にささやかなレベルです。本人はその時、意識が向いた実感もないでしょう。

もし本人に意識を向けた自覚があれば、それはもう、受け身の情報ではありません。意識が向いた時点で、前向きにその情報を得ようとしています。

受け身の姿勢でいるのと、積極的に意識を向けるのとでは、得られる情報量に大きな差が出ます。

もしあなたが積極的に意識を向けて呼吸時の動きを丁寧に観察したなら、胸の上の方や背中側も動いていると、認識できたかもしれません。

しかし受け身でいるレベルでは、胸の前の大きな動きを何となく認識するのが限界です。そうすると、このイメージが次第にあなたの認識の中で**定着**してきます。呼吸というものが、あなたの漠然とした意識の中では、胸の前の大きな膨らみと同じ意味になります。

あなたには、人生の中で自然と身に付いた知識があります。小学校の保健体育の時間で、または常識的な知識として、肺という臓器の存在を知っていました。それが呼吸を行うためのもので、酸素を吸収して二酸化炭素を排出しているという所までは、常識の範囲内です。しかしその**身体の中での大きさと場所**については、「胴体の上の方にある」という認識にとどまります。今まで、詳しく焦点を当ててみる機会がなかったからです。

肺という呼吸のための臓器がある

＋

それは胴体の上の方にある

＋

呼吸の時に胸が大きく膨らむ

あなたの先ほどまでの認識を整理すると、大よそ、このような計算式になると思います。この計算から導き出された解答が、「肺は胸の前の方に小さくある」という誤った認識です。

つまりこの図のようなイメージです。

肺という呼吸のための臓器がある
＋
それは胴体の上の方にある
＋
呼吸の時に胸が大きく膨らむ

右の3つの認識を改めて確認してみてください。**すべてが受け身の情報だけで成立していること**に、お気づきでしょうか。受け身で自然と入ってきた情報だけで判断してしまった結果、肺の大きさと場所を、本当の姿よりも著しく小さくしてしまっていたのです。

けれども今のあなたは違います。

今までこの本を読み進めて来られて、正しい肺の大きさと場所を、ほぼ正確に認識しています。これは受け身の情報ではなく、自分から積極的に獲得した情報です。

ここで改めて、ご自分の呼吸の様子を見てみてください。

肺の大きさと場所の意識は、おそらくは少し、薄れていたでしょう。しかしだからといって、呼吸が小さく戻ってしまってはいません。相変わらず鎖骨付近は連動して動き、背中にも動きを感じられています。

一度手に入れた正しい認識は、生き続けます。本人がずっと気にして意識し続ける必要はありません。

こんな楽な健康法は、他にはないでしょう。

あなたはおそらく、この事実を家族や友人に伝えたいと思っているはずです。

ぜひ、教えてあげてください。

ここで得られた情報は、あなたの知人の助けとなるはずです。

呼吸が深くなると、身体は変わる

呼吸が深くなると、酸素の摂取量が上がります。酸素の摂取量が上がると、酸欠状態にあった組織、細胞にも酸素が行き届くようになります。これだけで、身体は間違いなく改善します。

私の治療院の現場では、呼吸が深くできるようになっただけで、肩のラインまでしか上がらなかった腕が、きれいに頭上まで持ち上げられるようになった人がいます。本人は五十肩だと思い込んでいたのですが、単に筋肉に酸素が行き届いていなかっただけだったというケースです。

誤解のないように言っておかなければならないのですが、これは「呼吸を改善すれば、五十肩はすぐに治る」という意味ではありません。**酸欠による筋肉の緊張が原因だった部分については、すぐに解決する**ということです。損傷を修復するには、相応の時間が必要です。これを短縮することはできても、身体のメカニズムを無視して、奇跡を起こすことは無理です。

他にも、骨盤の歪みや足の長さの違いなど、呼吸が深くなっただけで完全に治ってしまった例が幾つもあります。多くの場合、肩や首のこりも改善します。

もしこの事実が社会常識になってしまったら、整体院やマッサージ店は、かなりの打撃を被るかもしれません。もしかしたら、私も恨まれるようになるかもしれません。それくらいに社会全体が進化してくれたら、私としても本当に嬉しいです。

治療院の現場では、この本でご紹介している肺の大きさと場所の情報を認識していただくだけでなく、必要に応じて呼吸機能を正常化させるための施術も行っています。これは筋肉、経絡《けいらく》（気の通り道）、チャクラ、神経など、幅広い問題の背景を同時に立て直すものです。ですがこの**肺の正しい情報についての認識だけでも、かなり大きな成果が出ています。**

呼吸は生命活動の根幹ですから、あらゆる角度からの、健康の基盤です。脳の働き、内臓機能、神経の働き、ホルモンの分泌など、その波及効果は計り知れません。

いらした患者さんの中には、呼吸が浅くなり過ぎ、意識がもうろうとしている方もおられました。若い女性なのですが、若さが感じられないほど、顔色は紫がかっていました。信じ難いことですが、その患者さんは直前に行かれた病院では呼吸の浅さを一切指摘されず、精神薬を処方されたそうです。呼吸器に悪影響を及ぼす病気という背景がないのに、呼吸の浅さだけでこれほど深刻なレベルまで追い込まれてしまう例は、そう多くはありません。肋骨に触って呼吸時の動きを見ても、ほとんど動かないような状況です。このレベルにまで追い込まれている例では、生命活動の中枢も、かなりの制約を受けていたと思われます。

肺の場所と大きさを正しく認識してもらい、さらに施術を行いました。呼吸の働きが改善され、出ていた症状も、驚くほどの速さで回復していきました。顔色はすぐに赤みを取り戻し、もうろうとした意識は明確になって笑顔で会話ができるまでになりました。

呼吸が深くなると、運動能力が向上する

筋肉への酸素供給が増えれば、当然、運動能力も向上します。

背筋力を計測してみても、呼吸の改善後では、数値が上昇するケースが多くあります。10〜20キロの向上も、珍しくありません。

人間の身体は、一つの動作に、多くの筋肉が関わっています。**ある特定の筋肉が機能を落としても、他の筋肉がサポートするような構造になっています。**表面上は運動に支障が出ないので、本人はなかなか気付きません。私もこの事実には、最初は驚きました。

筋力検査を行い、かなり筋肉が弱くなっている状況であっても、本人にその自覚はありません。運動上の不便や支障を、まったく感じていないケースが多いのです。一般の人はもちろん、プロのスポーツ選手であっても同様でした。筋肉はよく鍛え上げられていますが、呼吸の浅さなどの原因で、充分に機能できていないのです。

もし筋肉の異常で、歩くのに支障を感じるレベルだったら、それは相当に追い込ま

れている状態です。筋肉どうしのサポート関係が破たんして、動作を成立させられない段階に深刻化しています。**筋肉が弱くなり過ぎて、ごまかしが利かなくなっています。**

呼吸が浅く、筋肉に酸素が不足するのは、身体にとっては仕方のない緊急回避です。ですからできるだけ、その被害も最小限にとどめようとします。筋肉への酸素供給のバランスも、調整が行われます。歩いたり、手を伸ばしたり、一通りの動作ができるような形で機能を残そうとします。

軽度であれば、その肉体被害をまったく感じられないのが普通です。筋力検査で丁寧に確認をして初めて、力が入りにくい場所があると理解できるのです。

呼吸が深くなると、筋肉への酸素供給が増えます。機能を取り戻した筋肉は、動きに積極的に参加するようになります。

例えば走るという動作で、表面上の動き方は同じように見えても、その中身は違います。

走るのに使う主要な筋肉が衰えていた場合、サポートする筋肉がより強く働くことで、それまではバランスを取っていました。主要な筋肉が強く復活すれば、サポートしていた筋肉は引っ込みます。あまり強く出しゃばらなくても、動作ができるからです。**身体はより効率的に、本来あるべき姿で動くようになります。**

実はこれが、スポーツ選手にとって、**怪我をしにくい環境**と言えます。

サポートする筋肉に過度の負担をかけ続ければ、当然、壊してしまいます。主要な筋肉が機能できないしわ寄せは、確実にサポートする筋肉に回ってきます。体調不良で仕事ができない人のサポートをし続け、オーバーワークが続いて限界を超えれば、その人達も倒れてしまいます。これと同じです。

また運動をする本人は、そんな事態になっているとは気付きません。怪我をするほどの負担をかけているつもりはなくても、筋肉が弱っている状態ではオーバーワークです。

怪我の多い選手は、もしかしたら、そもそも酸素の全体への供給が少ない中で、やり繰りをし続けているのかもしれません。それを入念なマッサージやサプリメントでカバーしようとしても、カバーしきれるものではありません。マッサージは筋肉を外側から扱うだけです。また酸素の代わりができる物質もありません。ガソリンが不足している車に、いくら一流のプロが整備しても、上質なオイルを入れても、走るようにはなりません。

筋肉が全体として機能を回復させると、今度は、運動をする**形**が変わってきます。よくピッチングフォームとか、走るフォームといった言葉を耳にしますが、すべての運動には形があります。身体が効率的な動きができるようになると、フォームも必ず良くすることができるのです。

スポーツ選手は常に、より良い結果を求めて運動をしています。動き方一つにしても、より良い結果のために組み立てられたフォームがあります。**筋肉の機能が衰えている状況では、そのフォームも、しょせんは低い運動レベルで組み立てられたものでしかありません。**しかし筋肉の機能が改善されれば、それに応じて、より理想的な動き方、フォームに進化させることができます。それまで組み立ててきたフォームは、正解ではなくなります。

もし怪我のリスクも少なく、存分に運動能力を発揮できるとしたら、どんなに素晴らしいでしょう。筋肉のバランスが取れた状態では、運動でかかる負担も小さくなります。理想的なフォームは、身体能力を効率よく発揮しながら、怪我のリスクも減らすのです。

また改善されたフォームは、ほぼ間違いなく、それまでのフォームよりも**美しく**なっています。人間はより適切な理に適ったフォームに、機能美を感じるからです。他人が行うスポーツを、その機能美が、観る娯楽として成立させています。

一部のスーパースターが神のように崇められるのは、成績だけではなく、プレーをする姿に美しさが伴うからです。

もちろん、呼吸の深さだけが、筋肉の機能に関わっているわけではありません。神経や内臓、冷えの問題など、筋肉の機能に影響を与える背景は多くあります。

また正しい学習がなければ、身体は優れた動きを身に付けられません。呼吸の改善は優れたプレーを約束するものではなく、運動の**潜在能力**を強化させるものです。瞬発力、筋持久力、ともに向上がもたらされます。

治療院の現場では、呼吸の改善だけでも、かなり高い確率で筋機能の向上が見られます。酸素の供給量の問題は、筋肉を機能させるための土台です。

肺の大きさと場所の正しい認識は、さらにその土台の土台です。

呼吸が深く改善すると、心は安心する

深呼吸をすると、リラックスして安らいだ気持ちになります。

呼吸の状態は、**心**にも直接、関わっています。呼吸が浅くなると、不安感が強くなります。人間は酸素を吸収しなければ生きていけず、途絶えれば間もなく死んでしまいます。その大切な酸素が足りないという状況は、生命体にとって、やはり心安らぐものではないでしょう。呼吸の浅さから来る不安感は、その表れです。ですから深呼吸をすると、その瞬間だけでも、リラックスできるのです。

慢性的に呼吸が浅く、その浅い呼吸が正常だと思っているような人がいます。そのほとんどは、自分がその分余計に不安を感じてしまっているということに、気付いていません。**呼吸が深く改善して初めて、それまでの何となく押し寄せてきていた不安感がわかります。**

「不安感」というと、言葉が重過ぎて理解が難しいかもしれません。軽い不安感は、そわそわした感じや落ち着かない感じとして、受け取られます。けれどもそれさえも、

改善してからでないと、自覚できないかもしれません。

呼吸の改善を大きく自覚された方は、その瞬間、全員が幸せそうな安らいだ表情を見せてくれます。強面《こわもて》の怖そうな男性でも、このときの笑顔は、赤ちゃんの笑った顔みたいで癒されます。

無自覚に呼吸が浅いままで不安感があると、すべての感情や思考に、この**不安がトッピングされます。**またたちの悪いことに、不安のトッピングを自覚できる人は少数です。自分では正常で理性的に感じて判断しているつもりでも、状況には何の関係もない不安が、陰に隠れてセットになっています。アイスクリームのチョコチップなら歓迎ですが、心に不安のトッピングはごめんですよね。

この隠された不安感は、その人を押しつぶしてしまうような強さはありません。不安感のトッピングをしてしまっている人は、基本的には楽しい状況にあっても、何だか少し落ち着かないような気持ちも出てきます。財布が見つからないなど、明らかに不安な状況では、その不安はさらに深刻なものになります。これはチョコ味のアイスにチョコチップをトッピングしているようなものです。その不安がますます呼吸を浅くさせ、悪循環に陥るケースもあります。

呼吸が深く、安定するようになれば、不安感も落ち着いてきます。**心は呼吸が深くなるだけで、安定するようにできているのです。**

精神が動くには、エネルギーが必要です。頑張る、楽しむ、怖がる、考えるなど、精神の活動はすべてエネルギーを使います。実は不安を感じるにも、そのためのエネルギーを傾けています。

何かを頑張る時には、自分の意識でエネルギーを使います。試験前の一夜漬け、好きな異性を振り向かせるなど、誰でも多くのエネルギーを費やした記憶があると思います。一方、**不安という感情は、自分で好きこのんでエネルギーを使うのとは違います。**何か不安になるような理由があって、それにエネルギーを消費させられてしまっているようなものです。呼吸の浅さは、その理由の一つです。

もし不安に奪われていたエネルギーを、もっと前向きに使えるように取り戻せたら、素晴らしいと感じられるでしょう。呼吸を改善させれば、その分のエネルギーは、すぐに取り戻せます。

つまり楽しい時にはより楽しく、集中する時にはより集中できるようになります。楽しんでよい時に、不必要な不安があったら、それはエネルギーの無駄使いです。そのエネルギーを楽しむ方に配分できれば、より純粋に楽しめ、人生全体が豊かになります。

このエネルギーの配分は、自分で心を意識しただけでは変えられません。「不安にならないようにしよう」と心で念じても、効果はありません。なぜなら、**呼吸が浅い状況では、身体が危ういのです。**その危うさに応じた不安の強さは、生命として当然の反応です。これを奪ってしまうのは、人間が生きようとする本能を奪うのと同じ意味になります。熱狂する場面など、他のものに意識を集中して覆い隠すことはできます。けれども不安そのものを取り除くことはできません。

この不安のエネルギーが解消されたインパクトには、個人差があります。90点の人が95点になっても、あまり変化は感じられないかもしれません。しかし50点の人が80点になれば、すごいインパクトがあります。それだけで前向きな気持ちになれたり、イライラから解放されたと実感するかもしれません。

私の極端な体験ですが、タバコの煙の中に数時間いたせいで、呼吸がかなり浅くなってしまったことがあります。

私はタバコの煙が苦手で、外ではいつも逃げ回っています。タバコの煙が健康に良い影響を与える人はいませんが、その中でも私は、極端に害になってしまうのだと思います。その時の呼吸の浅くなり方は異常で、気を抜くと、身体が呼吸を止めてしまうほどでした。あまりに大量の煙を入れ続けたせいで、新しく空気を入れること自体を拒絶するに至ったのでしょう。意識的に頑張って呼吸をしなければならず、毒を外に出すのを意識し続け、まともな呼吸に戻るのに2時間かかりました。

その時の幸福感と安堵感のインパクトは、もう二度と味わえないでしょう。そんな機会があったら、逆に困りますけれど……。

胸式《きょうしき》呼吸と腹式《ふくしき》呼吸

あなたの呼吸をさらに万全にするために、呼吸の仕組みについてお伝えします。

これを勘違いしていると、時として、おかしな呼吸をする羽目になります。

胸式呼吸と**腹式呼吸**とは、一般的には、こう考えられています。
「胸を膨らませるものが胸式呼吸で、お腹を膨らませるものが腹式呼吸だ」
という認識です。

胸を膨らませるのは、胸にある肺に空気を入れるので、意識としては良いです。けれどもお腹を膨らませるというのは、少し問題があります。

もしあなたが、腹式呼吸はお腹に空気を入れる呼吸法だと思っていたら、大きな間違いです。

お腹に空気は入りません。空気が入るのは、肺だけです。

腹式呼吸で吸う時にお腹が膨らむのは、肺のすぐ下にある横隔膜《おうかくまく》が下がって内臓を押し出すからです。横隔膜が下がって肺の容積を拡大し、空気を取り込みます。

胸式呼吸は、胸を空気で膨らませるイメージで正解です。肋骨を開いて肺の容積を広げ、空気を取り込みます。

一方、腹式呼吸で同じ空気を入れるイメージを持つと、身体は少し、おかしな動きをしようとします。お腹に空気は入らないのに、空気を入れようと筋肉を動かす虚しい努力をします。

ここで面白い実験をします。腹式呼吸でお腹に空気が入ると思っていた人も、思っていなかった人も、試してみてください。

①お腹に空気が入るとイメージして、大きく腹式呼吸で吸ってみてください。

②そして次に、横隔膜が内臓を押し出して、お腹が膨れるとイメージして、

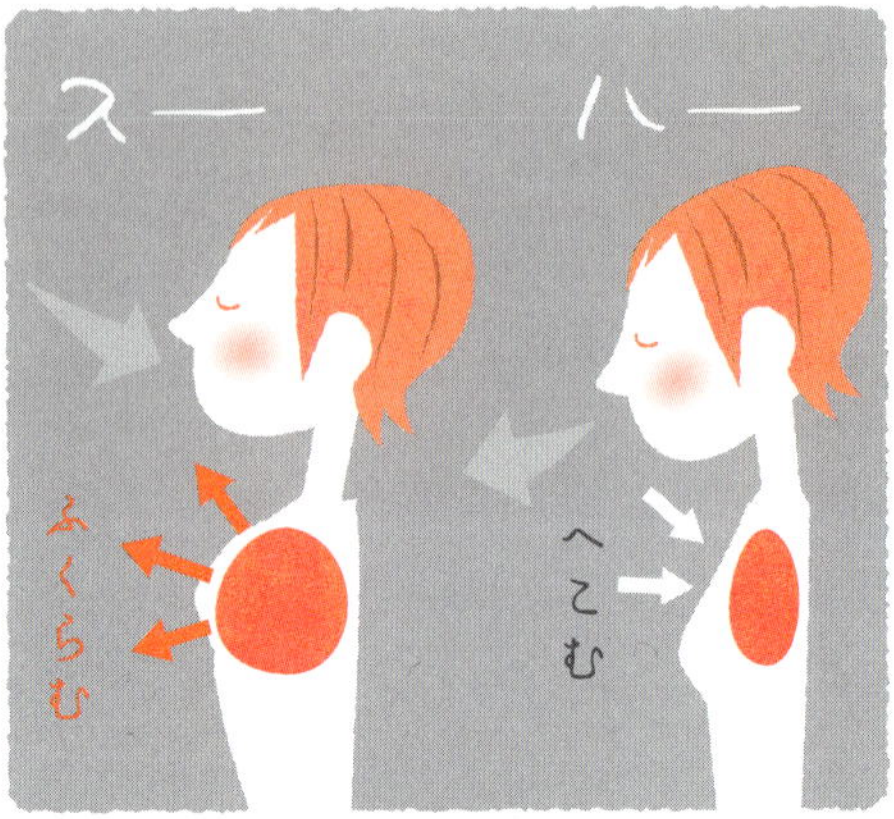

胸式呼吸

腹式呼吸

腹式呼吸で吸ってみてください。

イメージがつかめないときには、次のイラストを参考にしてください。

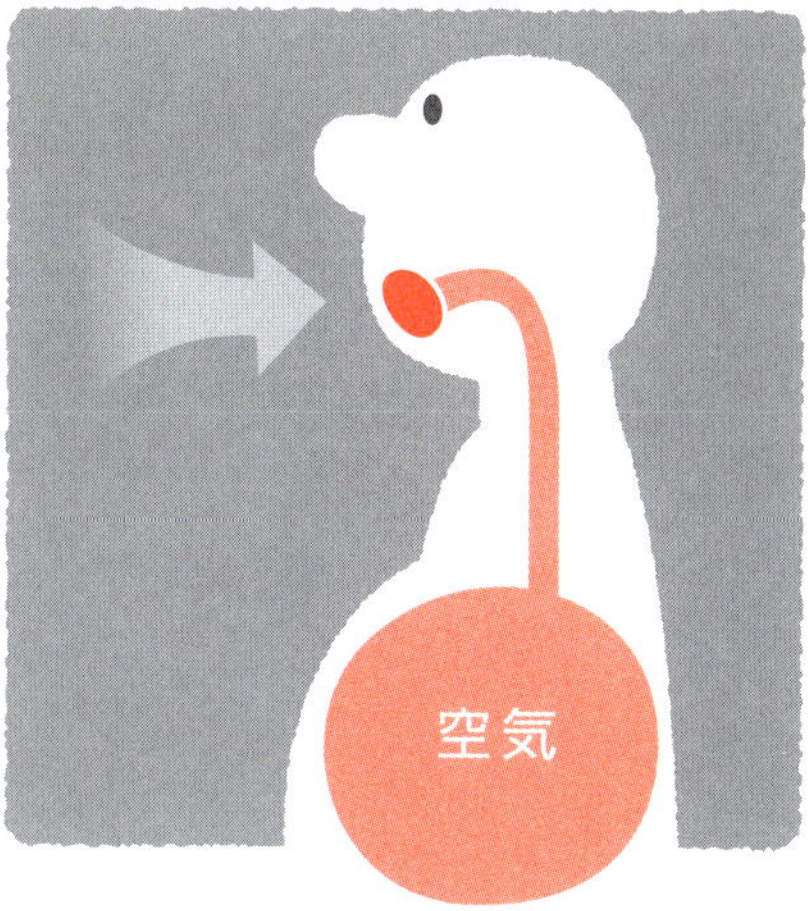

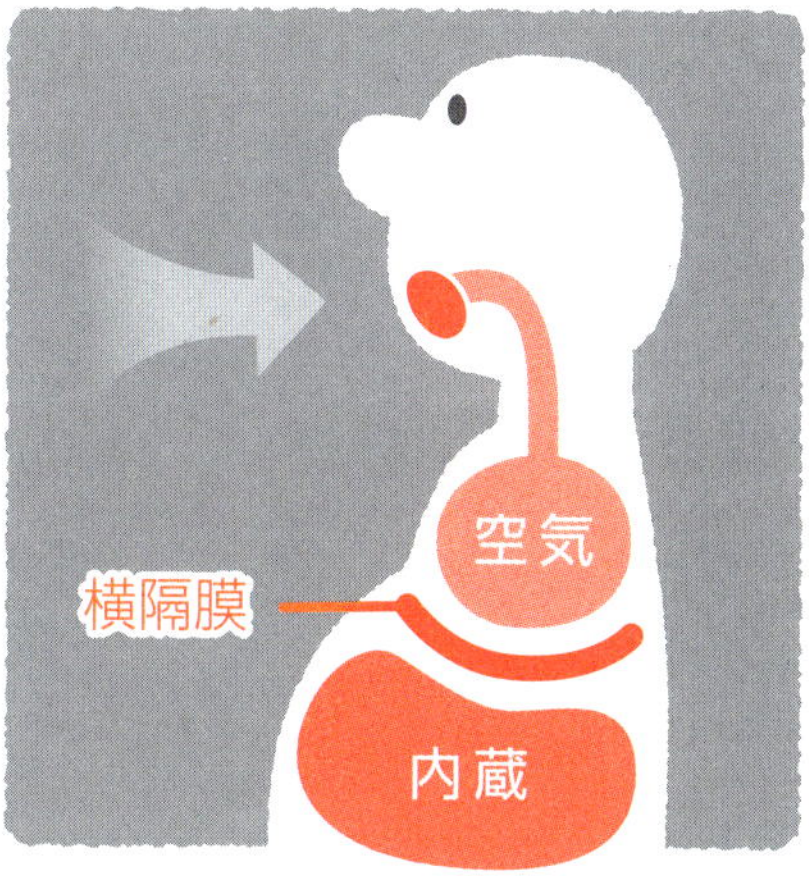

さて、いかがでしょうか。

おそらくお腹の中に空気を入れようとした時の方が、違和感があったり、苦しかったりしたと思います。その一方、横隔膜で内臓を押し出す正しいイメージでは、楽にできたと思います。

お腹に空気を入れようとする作業は、肉体の構造上無理なので、どう頑張っても実現できません。かといってお腹が膨らむ動きは正解と同じなので、大きくかけ離れてはいません。ですから結果としては横隔膜が下がり、内臓が押し出される形で、お腹が膨らみます。肺にも空気が入ってきます。

けれどもそれはやはり、**誤ったイメージ**です。無理な事をしようとする分、違和感や苦しさになります。

「全体呼吸」のすすめ

胸式呼吸と腹式呼吸とを、まったく別のものとして捉えている人は多いと思います。よく患者さんにも、「胸式呼吸と腹式呼吸のどちらが健康に良いのか？」と尋ねられます。私はそのときにはいつも、

「胸式も腹式も同時に行った全体呼吸が一番良いですよ」と、お答えしています。

全体呼吸で行う深呼吸は、また格別の気持ち良さです。慣れないと少し難しいかもしれませんが、何度かチャレンジしてみてください。きっとできます。

この二種類の呼吸は、二者択一でどちらかを選んでするものではありません。肋骨が開いて胸も背中も膨らむし、同時に横隔膜が下がって内臓を押します。押された内臓は骨盤部分で柔軟に吸収されますが、それだけでは足りない場合には、お腹を大きく膨らませます。普通に無意識で呼吸をしている時には、自然とこの全体呼吸になっています。

けれども横隔膜の動きは意識的に大きくしないと、なかなか認識できません。なのでいつの間にか、腹式呼吸は意識して行うものだと誤って思い込まれてしまったのです。この間違いが元になって、胸式呼吸か腹式呼吸かを選択するような勘違いが引き起こされています。**誤った情報や認識を元に考えても、正解に到達できる見込みはありません。**

腹式呼吸が健康に良いと聞いて、胸式呼吸が健康に悪いと思い込んでしまっている人もいました。誤った認識を元に考えて、間違った方向に行ってしまったのです。この方は胸式呼吸をしようとしても、長年封じてきた動作であったため、胸がまったく動かせませんでした。

また横隔膜の動きを、逆に勘違いしてしまっている人もいました。胸式呼吸の動きでは、胸が頭の方に向けてグッと持ち上がります。これを下から横隔膜が押し上げるからだと思い込んでしまっていたのです。そうすると、人間の身体はすごいです。私も試しにやってみたのですが、吸いながら横隔膜を持ち上げる動きが、簡単にできてしまいました。やろうとすれば、身体は結構、いろいろな動きができるものです。

けれども当然、これでは肺の容積が増えないために、息が深く吸えません。その人は深呼吸しても空気があまり入ってこず、不思議に思っていたそうです。自分の長年の勘違いを知って、照れくさそうに笑っていました。

呼吸の仕方を勘違いしている人は、実に多いです。

肺以外の臓器は大丈夫か？

「イメージの誤りで肺の機能が落ちるなら、他の内臓は大丈夫なのか？」

少し考えると、こんな心配が出てくるかもしれません。結論から言えば、まず大丈夫です。

心臓や胃など、他の臓器を動かしているのも、肺と同じように筋肉です。ですが筋肉の種類が違います。手や足を動かすように、心臓の動きを自在に操れる人はいません。胃の消化活動にしてもそうです。けれども肺の収縮は、意識して動かせるものです。**人間の身体には、自分で意識して動かせる部分と、そうでない部分があります。**自分で意識して動かせない部分は、間違ったイメージによる悪影響を直接には受けません。

心臓の場所が左胸にあると誤解している人は多いですが、実はほとんど身体の中心にあります。心臓のドキドキを感じる場所が左側にあるので、心臓が左胸にあるという勘違いが、いつの間にか定着したのです。肺の大きさと場所の誤解では、イメージの中で存在を消してしまっている部分については、充分に機能させられていませんでした。けれども心臓は大丈夫です。左胸にあると間違ってイメージしているからといって、心臓の機能が落ちたりはしません。

心臓は心筋という筋肉で動いています。これは自分では意識して動かせない筋肉で、身体が自動的に調整を行っています。**意識の勘違いが入り込む余地はありません。**

肝臓がアルコール処理専門の臓器だと思い込んでいる人もいますが、この勘違いがあるからといって、アルコール以外の毒物を顔パスで素通りさせたりはしません。何千種類もの化学処理を行い、アルコール以外の毒物も懸命に解毒してくれます。

その話で言えば、仮に「二酸化炭素を吸収して酸素を排出するんだ」と逆に勘違いしても、肺の機能自体は損なわれないでしょう。肺の中に入った空気をどう処理するのかについては、もう身体の自動的な働きに委ねられているからです。

身体が自動的に動いている部分については、実は**潜在意識**と呼ばれる領域が担当しています。潜在意識というのは、自分で認識できない精神の領域のことです。

心臓や消化器、肝臓や腎臓などが、何の目的意識もなくただ単に動いていて、偶然にも生命を支えている可能性は、限りなくゼロに近いものです。そこには明確な、生存しようとする目的意識があります。**「生存本能」**と言えば、イメージしやすいかもしれません。身体は生存しようとする潜在意識によって、休みなく、死ぬまで働き続けています。

理性的な知能がない原始的な生命体が、驚くべきメカニズムで機能して生きているのも、同じように偶然ではありません。表面上の意識では知性が確認できなくても、潜在意識では高いレベルの知能があります。どんな生物にも肉体があります。その構造を理解して運営しているのですから、私達の観点から見ても、並大抵の知能ではありません。

潜在意識は、表面上の意識が犯すような過ちはしません。たとえば心臓の大きさや場所を勘違いして、機能を落としてしまうような間の抜けた運営はしません。遺伝で伝えられた身体の仕組みを、正確に把握し、その後の人生経験によっても絶対にブレません。催眠術や暗示を用いても、この深い領域をだますのは無理でしょう。完全に潜在意識で動かされている部分は、表面上の意識がどんなおかしな勘違いをしても、無事でいられます。

これに対して、**呼吸で使う筋肉は、意識的に動かせる部分です。**ですからそこでは、間違ったイメージが悪影響を及ぼしてしまいます。

ここまではもう、あなたは充分に理解されたと思います。

ここまで理解が進めば、次の疑問はこうです。

「では似たような問題が、呼吸の他にもあるのではないか？」

はい、あります。

それを次の章以降で、お話しします。

第2章

知れば、ねこ背が治る！

胸を張って背筋を伸ばす！ これが良い姿勢？

このイラストのような格好を、「良い姿勢」だと思っている人がほとんどです。
胸を張って、背筋はピンと綺麗に伸びているように見えます。

私も子供の頃、嫌というほど、この姿勢をしつけられました。けれどもこの格好は、強く意識している時にはよいのですが、**少しでも気を緩めると元に戻ってしまいます。**そのたびに「背筋、ピンッ！」と母の厳しい声が飛んできたものでした。

頑張ってこの格好を維持していれば、やがては良い姿勢が当たり前になる。この頃は、そんな風に漠然と考えていました。それは母も同じだったようです。何年も何年も、根気良くしつけられ続けましたが、私のねこ背が矯正《きょうせい》される様子はありませんでした。そしてねこ背のまま大きくなり、とうとう間に合わず、大人になってしまいました。

胸を張って背筋を伸ばすのは、気持ちの良いものです。たまにすると心のモヤモヤが取れて、リフレッシュします。しかしだからと言って、長時間は持ちません。**無理に上体を仰《の》け反《ぞ》らせているので、次第に疲れてきます。**気を抜いた瞬間に、元のねこ背に逆戻りです。姿勢を良くしようと意気込んでいる時には、ねこ背に気付いては仰け反り、また気付いては仰け反りの繰り返しです。

子供の頃に取り組んで駄目だった方法ですから、大人になったからと言って、成功するはずもありません。どんなに頑張って背筋を伸ばしても、その時だけで、一向に癖が変わってくれる気配はありません。

結局、ねこ背でいた方が楽だということです。

人間は楽な方へ、楽な方へ流れます。どんなに強い意識の力があっても、他の何かに注意を向ければ、気が抜けてしまいます。この方法でねこ背を矯正するのは、私には不可能だと、ついには諦めました。これが20代半ばの頃です。子供の頃からですから、20年は努力してきた計算になります。思い出した時にやってみる程度でも、大変な年月を費やしたものです。実に気の長い話です。

私が小学校の頃には、竹定規を背中に入れる先生がいました。服の中に入れられた定規の感触は、心地よいものとは言えません。硬くて痛く、くすぐったくもあり、身をよじらせて逃げようとしました。定規と言えば、正しく真っ直ぐな物の代表です。子供たちに真っ直ぐな感覚を覚え込ませようとする、優しい親心なのでしょう。けれども**この方法でねこ背が治った子供は、卒業まで一人もいませんでした。**無理に背筋を伸ばして固定したところで、そうそうねこ背は矯正されません。

これと似たような物は、実は形を変えて、商品化されています。〝背筋（姿勢）矯正ベルト〟です。テレビショッピングでもおなじみです。背筋を伸ばす形で締め付けるもので、これなら、意識が途絶えても大丈夫です。付けている時には、いつでも良い姿勢を維持してくれます。

けれども外してしまえば、当然、またねこ背に戻ろうとします。ねこ背が治るというところまでは、効果を発揮できないようです。また強引に姿勢を維持させているので、付けている内に苦痛になるケースも多くあります。背筋（姿勢）矯正ベルトをもってしても、目覚ましい効果はありません。ましてや教室の竹定規には、荷が重いはずです。

また姿勢が悪くなってしまう原因を、筋肉が衰えているからだと主張する人もいます。背筋や腹筋を鍛えると身体が支えられるようになり、姿勢が安定するという趣旨です。胸を張って背筋を伸ばす努力は、確かに筋力が必要です。筋力自体がアップすれば、より楽に良い姿勢を維持できるという理屈かもしれません。

けれどもこの考え方には、私は反対です。極端な運動不足、病的に筋肉が弱っているレベルでなければ、そんなケースにはなりません。日常生活を普通に送れるレベルの人が、筋力不足により姿勢が悪くなってしまう。これは、あまり考えられません。

結局は、**無理に背筋を伸ばす解決方法が、そもそもの間違いです。**それでは、「姿勢が悪いから、姿勢が悪い」と言っているようなものです。

ねこ背になってしまう原因は、決して「ねこ背だから」ではありません。

この間違いから抜け出せれば、その時から矯正ベルトもジム通いも要らなくなります。私の20年以上の努力も、虚しいだけです。

正解を知れば、姿勢の改善は一瞬です。

大腿骨《だいたいこつ》で身体を支える

人間がねこ背になってしまうのは、立っている時、座っている時です。寝ている時には、ねこ背にはなりません。これは当たり前ですけれども、もう一つ、ねこ背にならない状態があります。

それは**膝立ちをしている時**です。

このように膝立ちをしていると、背筋がスッと伸びます。実際に試してみてください。

もしねこ背になってしまっていたら、身体のどこかに異常があります。その場合には、異常をケアするのが先決です。

いかがでしょうか。普段はねこ背ぎみの人でも、自然な形で良い姿勢になれたと思います。無理に頑張って背筋を伸ばす必要もありません。ここで背筋と腹筋の弱さ説は、説得力を失います。もし本当に筋力不足が原因だったら、膝立ちでもねこ背になってしまうはずです。

ではなぜ、膝立ちだと姿勢が良くなるのでしょうか。

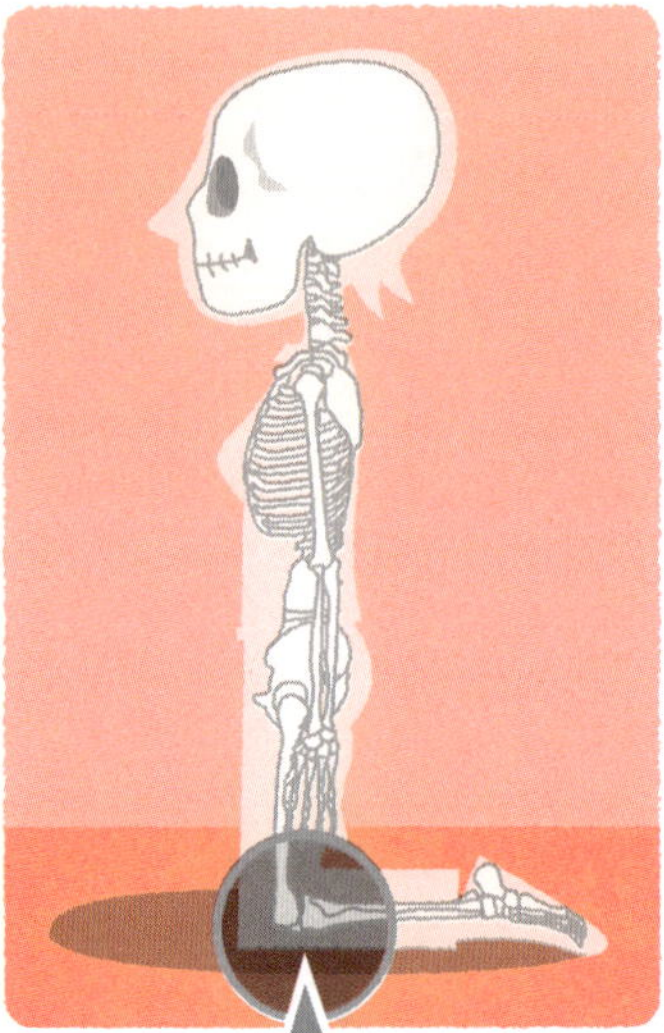

①

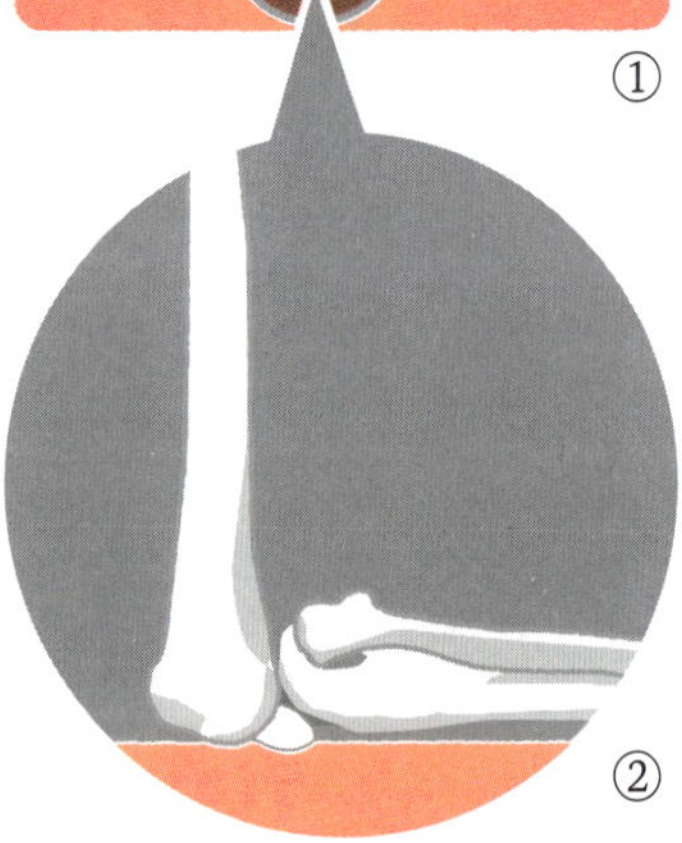

②

①全身の骨格の図を見てください。太腿の太い骨を、**大腿骨《だいたいこつ》**と呼びます。骨盤と上半身全体が、大腿骨に支えられています。太く頼もしい骨に乗っているので、骨盤が安定しています。変な傾き方はしていません。ですから背骨もその上で、綺麗に伸びていられます。美しい姿勢は、こんな風に作られていきます。骨が骨を自然に支えて、無理のない状態です。

また、**②右膝のアップの図を見てください。**膝が一点で、重さを支えているのがわかります。膝のすぐ上には大腿骨があります。膝立ちは無条件に、**大腿骨で身体を支**

える姿勢を作ります。大腿骨に上手に乗れば、人間は良い姿勢に楽に到達できます。

膝立ちの姿勢で、ちょっと無理にスネに体重をかけてみてください。

太腿の前の筋肉が張ると思います。これは大腿骨から外れたために、筋肉で身体を支えたということです。この時には、身体も仰け反ってしまいます。骨が骨を自然に支えられなくなり、バランスが崩れている状態です。倒れないで頑張っているためには、筋肉を踏ん張らないといけません。結果として、姿勢も崩れてしまいます。

良い姿勢とは、このように、骨が自然と立っている状態を指します。決して無理に背筋を伸ばして、強引に作るものではありません。膝立ちをした時に、楽にスッと伸びる背筋。ここに**正解**があります。

膝立ちの時は良くても、足の裏で立つと、やっぱりねこ背に戻ってしまいます。元々がねこ背の人にとっては、それで普通です。がっかりすることはありません。

今から、その理由を説明します。ねこ背が治る光明は、もう見えています。

膝で立つのと、足の裏で立つのとでは、何が異なるのでしょうか。

大腿骨は膝とは接していますが、足の裏からは、遠く離れています。この違いがあります。

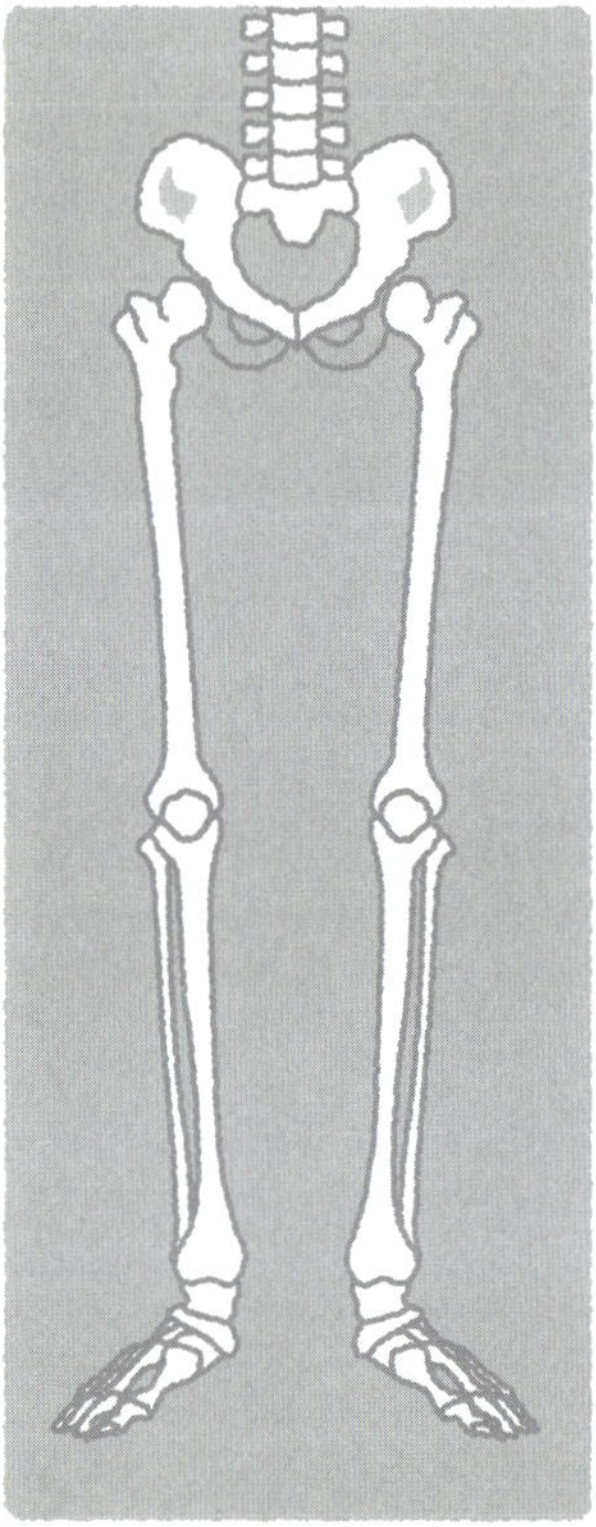

膝の下にスネの骨が二本あって、足首があります。その下に足の裏です。大腿骨に乗るためには、つながるスネの骨に乗らなければなりません。スネの骨は二本ありますが、乗るのはもちろん、**内側の太い方**の骨です。外側の細い方では、体重を乗せるには頼りありません。太い骨のサポートぐらいに考えておいてください。

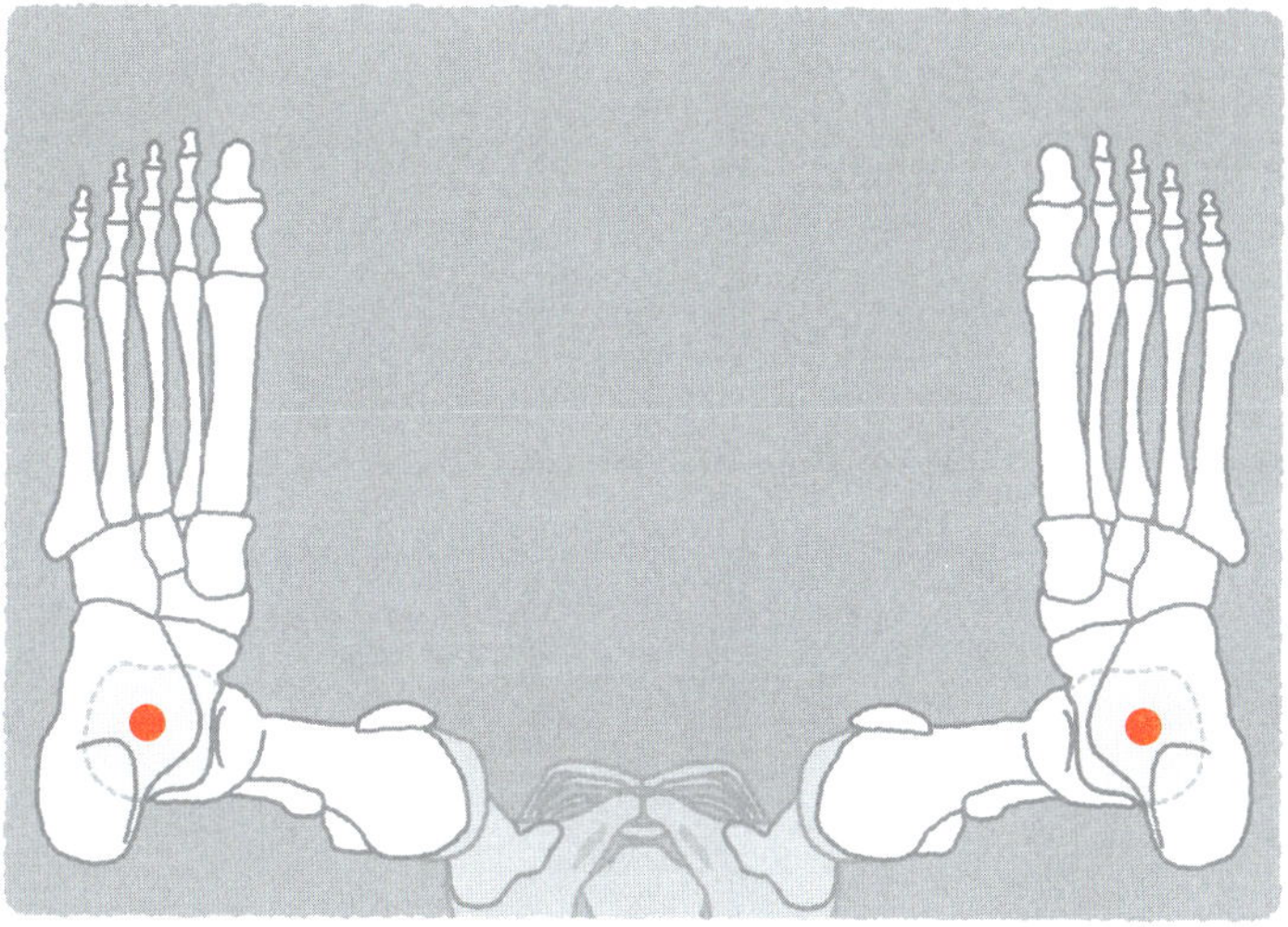

上の図の●印は足の裏から見た、スネの太い骨の場所です。**この場所に体重を乗せてください。**肩幅くらいに足を広げると、わかりやすくなります。そうするとスネの太い骨に乗って、大腿骨に乗って、膝立ちと同じような状態になります。**少し内側に絞るイメージ**になります。

足の裏は地面に触れている面積が広いので、膝立ちのように、一点では支えられません。スネの太い骨を中心にして、広範囲で支えるようなイメージになります。

この時に、スネの太い骨に乗る意識を強く持ってください。

いかがでしょうか。

スネの太い骨に乗るイメージが強く持てたら、成功です。しっくりと来るまで、微調整をしながら試してみてください。


スネの太い骨に乗れたら、**今度は全身の力を抜きます**。

立ちながら力を抜くのは怖いでしょうが、**思い切って抜いてみてください**。実際に力が抜けて、倒れてしまったりはしません。立つのに必要な筋力は、無意識に残ります。

そして**自分の背筋を意識してください**。スッと楽に、自然に伸びていれば成功です。

無理に胸を張って、背筋を強引に伸ばすのとは違います。背筋自体には、まったく力を入れません。


これが本当の「良い姿勢」です。


おそらくあなたは今まで、**こんなにも脱力して立った記憶がない**と思います。

上手に骨格で身体を支えてあげると、立っている姿勢は、ここまで楽なものです。

立ったまま休んで、疲れた身体も癒せるほどです。

ここで逆に、背中の筋肉に違和感を覚える人もいます。

人間の身体は、使われていないと衰えるものです。正しい姿勢を知らなかった身体は、それを維持するのに必要な筋肉を作ってきていませんでした。

慣れの問題ですから、心配は要りません。身体は後からついて来ます。

ねこ背になる、本当の原因

ねこ背になる本当の原因は、**正しく骨に乗れていない**からです。

足の裏は広いので、つま先から踵《かかと》まで、好きな所に体重をかけられます。体重をかける場所を、スネの太い骨から外すと、姿勢が崩れてしまいます。

ねこ背になる時の重心は、正しい位置よりも**つま先**側に寄っています。

次のイラストを見てください。

わかりやすいように、極端な例でご説明します。

このイラストのように体重が前にかかると、このままでは倒れてしまいます。倒れたくないので、腰を後ろに引いてバランスを取ります。すると上体がくの字に曲がり、前のめりになります。

前に屈《かが》めば、ねこ背でいた方が楽に決まっています。これがねこ背になってしまうメカニズムです。

実際にやってみてください。つま先に体重を乗せただけで、腰を引き、上体を前に屈めてしまいます。これは普段から行っている、無意識のバランス調整です。

そして今度は逆に、踵に思いっきり体重をかけてください。そのままでは後ろに倒れてしまいますから、腰を前に突き出します。先ほどとは逆側に、上体がくの字に曲がります。こうした形での悪い姿勢の人も、中にはいます。けれども、自分では大抵、姿勢が良いと思い込んでいます。胸を張って背筋をピンと伸ばすという、一般常識の条件が揃っているからです。

一般常識だからといって、正しいという保証はありません。保証されているのは、それが「広く共有されている」という事実だけです。

当たり前すぎる認識なので、ほとんどの人が疑いすら持ちません。私もその一人でした。ねこ背を治すための意味のない努力を、疑いもせず20年間も行ってしまいました。一般常識が持つ説得力は、本当に侮れません。

踵に体重を乗せる立ち方は、お腹の大きい人に見られます。お相撲さんが歩く姿を想像すると、楽にイメージできます。お腹が大きくて重いと、前に倒れそうになります。その時、踵に体重を乗せると、うまくバランスが取れます。こういうタイプの人には、正しい姿勢の立ち方は、役に立ちません。体重を踵に乗せた姿勢が、より合理的になります。ただ健康面を考えると、このレベルまで太るのは考えものです。

ねこ背のメカニズム

ねこ背のメカニズムを、もっと深く理解していきます。

①スネの太い骨を意識して乗る、正しい姿勢の立ち方をしてください。全身の力を抜くのを、忘れないでください。

⇐

②体重をかける場所を変えずに、あえてねこ背になろうとしてみてください。

無理に首を前に曲げなければ、ねこ背を作れないはずです。その姿勢を維持し続けるのは、つらいと思います。

これをセミナーの受講者にやってもらうと、衝撃を受けた、驚きの表情になります。今までねこ背でいる方が楽で、どんなに頑張っても悪い姿勢が治らず、悩んで来られた人達です。青天《せいてん》の霹靂《へきれき》と言っても、言い過ぎではありません。逆にねこ背の方がつらく、背筋がスッと伸びた姿勢が楽なんて、信じられない事実です。

正しい姿勢の立ち方の本質は、ここにあります。

ねこ背は「結果」ではありません。足の裏の間違った重心のせいで、倒れそうになる身体を修正する「手段」です。手段を矯正して治そうとしても、うまくいくはずがありません。無理に良い姿勢に見えるものを作って、身体につらい思いをさせるだけです。表面だけを追ってしまうと、このように間違いに間違いを重ねてしまいます。

指で糸をつまんで、振り子を揺らしている様子を想像してください。

大きく揺れている先端は、ねこ背になっている背中です。足の裏の重心が、糸を持つ手です。**振り子の先は目立ち、糸を持つ手には注意が向きません。**

振り子を動かしているのは、人間の手です。けれどもその手の動きは、ほんの小さなものです。先端の大きな動きを目の前にすると、こちらに意識が集中します。

小さな静かな原因は、大きな目立つ物の前に、かき消されてしまいます。

ねこ背になってしまう原因として、足の裏の重心の場所は、あまりに小さ過ぎるものです。ほとんどの人から見過ごされてきたのも、仕方ありません。

ねこ背は、原因と症状が同じものと考えられてきました。それが常識でした。先ほども申し上げた、「ねこ背だから、ねこ背になってしまう」という理屈です。

それは今の例えで言うと「振り子の先が揺れるのは、振り子の先が揺れているからだ」ということになります。

原因を正しく理解できれば、治すのは簡単です。ただ振り子を揺らす手の動きを、止めればよいだけです。違いは、知っているか、知らないかだけです。

そしてあなたは、今、**知っている側**になっています。

「重心」の不思議

適切な場所に重心を置けず、つま先に寄ってしまう。そもそもなぜ、こんな現象が起こるのでしょうか。

「つま先に寄る」とは言っても、本当に指先に体重を乗せている人はいません。多くのねこ背の人は、**足の裏の中心あたり**で立っています。

ここに体重を乗せるのは、おそらく単純な理由です。足の裏は広いです。半ば無意識に人間は、「この広い足の裏で、どこに乗ったら安定するか」と考えます。注意を向けているわけではないので、思考能力は高くありません。考えた本人が自覚を持てないほどの、小さな小さな思考です。

この頼りない知性は、全体の骨格や筋肉などは考慮しません。なので**とりあえず、真ん中に乗っておけばよいだろう**という結論に至ります。

膝立ちで正しい姿勢になるのは、最初から点で立つしかなく、**正解しかない**からです。びっくりするほど、単純な思考回路です。

実際に真ん中に乗ってみると、バランスがおかしい。けれども少々のバランスの狂いであれば、微調整はいくらでも利きます。本人はまだ、異常を認識していません。

ねこ背でおかしな姿勢になって、初めて問題に気付きます。誰かに指摘されたり、写真で自分の姿を見たり、きっかけはそれぞれです。

しかしその原因となる根本の間違いには、ほとんどの人が気付けません。

いくら真剣に考えても、注意を向けるのは**丸まった背中**だけです。

「足の裏の中心に、体重をかけてしまっているからだ」この正解からは遠いです。

スネの太い骨の位置と、足の裏の中心とでは、距離としては近いように見えます。

しかし明らかに、この二つは**違う**ものです。

体重がつま先に寄れば寄るほど、その分だけ、バランスが大きく崩れます。ですから腰を後ろに引く動作も、大きくなっていきます。上体の前傾もきつくなります。

先ほど見てもらったのは、あくまでも極端なわかりやすい例です。実際にはほとんどが、もっと小さい、ささやかな重心のズレです。

このイラストを見てください。

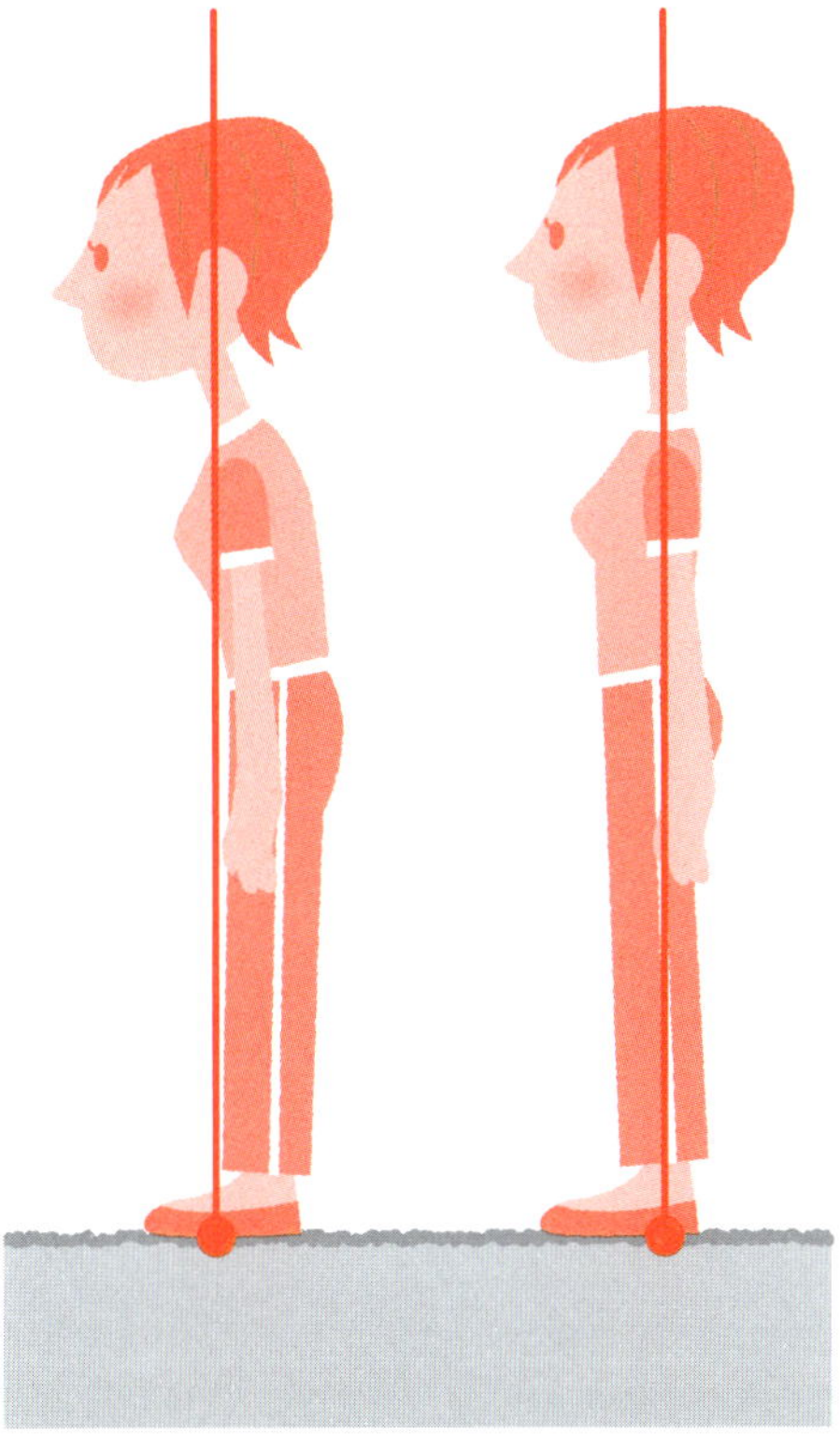

少し重心がズレているぐらいの状態では腰の引きは小さく、よほど注意しないと気付きません。上体が前に屈んでいるのも、腰の付近では目立ちません。けれども**肩の近くになると、ねこ背として目に付きます。**

小中学校の時に使った「分度器」を思い出してください。

1度の角度の違いは、スタート地点では数ミリです。けれどもそこから遠くなるほど、引いた線と線は離れていきます。**やがて違いが目立つようになります。**これと基本的には同じ原理です。

また背骨はS字になっていて、ねこ背になる部分は元々が丸まっています。それが全体に前に屈んでいるのですから、目立って当然です。

正しく座ると、書くのも打つのも楽になる

では**座っている状態**では、どのように考えればよいのでしょうか。

大腿骨の下がスネの太い骨ですから、上は骨盤です。

骨盤に綺麗に乗るのが、座っている場合の正解です。

骨盤には**坐骨**《ざこつ》という骨があります。

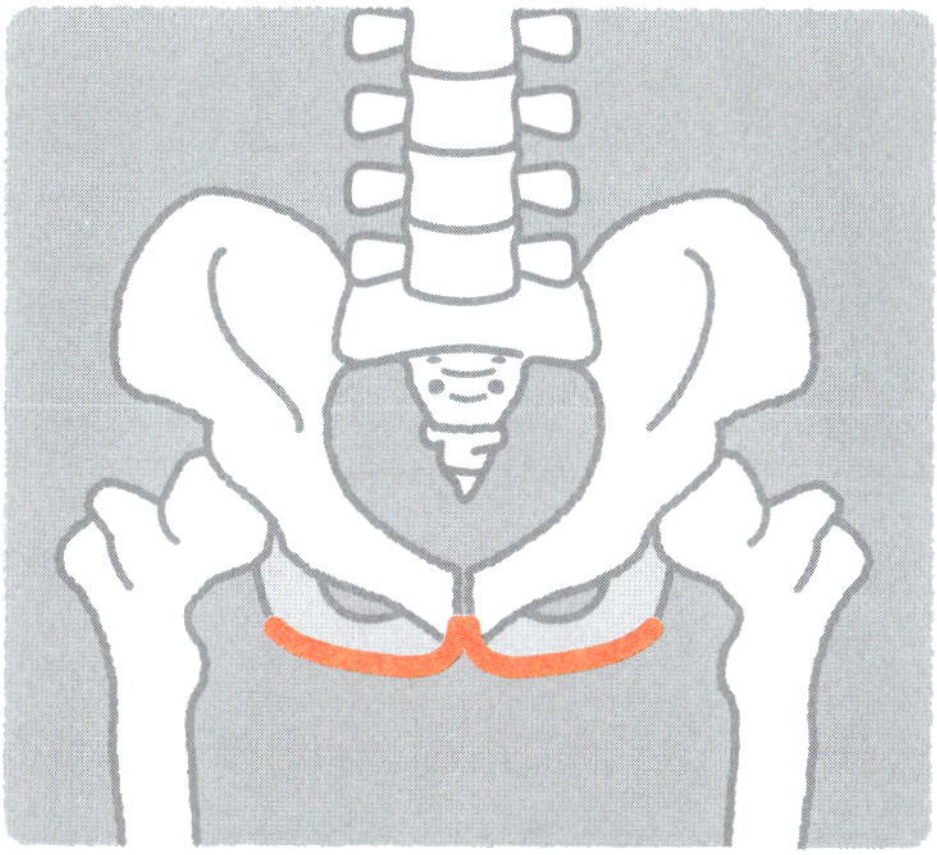

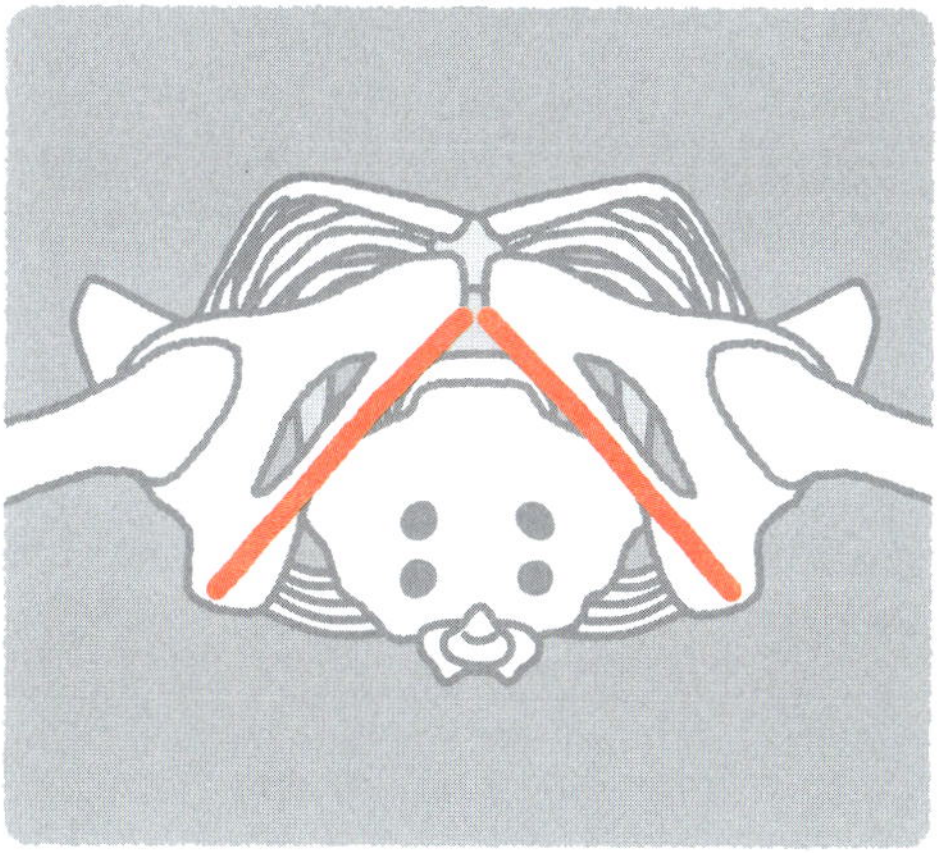

このイラストで強調されている部分が坐骨です。**椅子に座った時に、下に当たる骨**です。

坐骨の角度を見てください。**前が狭く、後ろが広く**なっています。これには意味がちゃんとあります。もし坐骨が真っ直ぐに平行だったら、安定が悪くて仕方ありません。左右にグラグラとして、落ち着いて座れません。改めて人間の身体は、機能的にできていると感心します。

骨盤に綺麗に乗るためには、うまく坐骨を活かします。坐骨を外すと、身体は途端に不安定になります。不安定な身体のバランスを取るためには、やはり姿勢を悪くするしかありません。基本的な理屈は、立っている時の場合とすべて同じです。坐骨を外して前に体重をかければ、ねこ背になります。外すのが後ろなら、仰け反ってしまいます。

人間は前に倒れそうになる分には、幾らでもバランスが取れます。後ろに倒れそうになるのは、より苦しい体勢です。姿勢の悪さは楽な方に流れた結果なので、後ろに外すパターンは見かけません。

それでは椅子に座って、実際にやってみます。

① 坐骨の位置をしっかりイメージして、綺麗に乗ってください。
お尻の骨を感じながら、微調整して試してください。

⇐

② 一番安定する位置を見つけたら、全身の力を抜きます。背筋がスッと、楽に伸びていれば成功です。

正座や胡坐《あぐら》でも、理屈は同じです。正座の場合には坐骨の下に、自分の足があります。坐骨を綺麗に足に乗せられるように調整して、力を抜いてください。もしも坐骨に綺麗に乗っても、背筋が丸まってしまう場合には、ねこ背の癖が強くなっています。意識的に背筋を伸ばしてあげてから、力を抜いてください。

背筋がスッと伸びると、椅子に座ってやる作業が楽になります。

テーブルの上で字を書く動作で説明します。大抵は皆さん、前屈みになって字を書いています。背筋を伸ばして書いているのは、書道くらいかもしれません。

ちなみに書道で背筋を伸ばしている理由は簡単です。長い筆の先ではなく、真ん中のあたりを持つからです。身体を紙から遠ざけなければ、筆を持つ腕が詰まります。あれは背筋を伸ばした方が、むしろ楽なんです。ですから書道をしている時には、自然と背筋が伸びます。姿勢が良くなるという理由でお習字に通わせる親がいますが、それは多分、**書いている間だけ**です。実際に私がそうでした。また書道には、芸術という側面があります。芸術活動をしているという意識も、自然と姿勢を良くします。この意識の部分については、また後でお話しします。

普通のペンは、書道の筆とはまるで違います。ペン先に近い部分を持たないと、ともに字が書けません。すると紙と身体の距離が近くても構わないので、前屈みでも成立します。またできるだけ近づいた方が、楽に書けるような気もします。これは半ば無意識での錯覚です。**現実には楽どころか、負担を大きくしてしまいます。**

実際に試してみましょう。

①正しい座り方で、背筋が自然と伸びた状態を作ってください。
全身の力を抜きます。
そしてペンを持って、紙に字を書いてみてください。

目が紙から離れるので、不安感があるかと思います。やがて慣れるので、大丈夫です。**自分の身体の状態に、注意をよく向けてください。**

②　今度は前屈《まえかが》みになります。
同じように、字を書いてみてください。


あなたの身体には、何が起こっていますか？

良い姿勢の時との、違いを感じてください。身体にかかる負担が、まるで違うと思います。


前屈みでいる状態は、一見それが楽なようでいて、実は負担が大きいものです。

前屈みの上体は、重力で下に引っ張られています。抵抗しないと、前に倒れます。

それを防ぐには、筋肉で支え続けるしかありません。使うのは主に、背中や首の後ろの部分です。長時間の作業で疲れ、首や肩がこるのは当然です。

しかし正しい座り姿勢では、この負担はまったくありません。骨格が体重を効率良く支え、筋肉の負担は最小限に抑えられます。長時間の作業も楽になります。

そして正しい姿勢で作業を続けていると、あなたは意外なメリットに気付くかもしれません。前屈みでいるよりも、ペン先が自由に動くのです。

上体を前に屈めて書いていると、両腕で体重を支えてしまいます。もちろん、全体重がかかる訳ではありません。割合としては、ほんの小さなものです。それでも腕の自由な活動を邪魔するには、充分な負担になります。

圧迫から解放された腕は、より軽快にペンを走らせます。このお話は、パソコンのキーボード操作でも同じです。首や肩の負担は減り、キーボード操作も軽快になります。目から来ていると思っていた首と肩のこりは、実は姿勢のせいだったということもあるかもしれません。

背筋を曲げて仕事をする姿は、貧相で頼りなく見えます。背筋をスッと伸ばして作業をするだけで、印象は様変わりします。頼もしい、知的な出来る人間に映るでしょう。座り姿勢で印象を大きく落としていた人は、周囲からの評価が変わるかもしれません。

そして実際に、作業効率も向上します。見せかけではなく、変化には中身も伴っています。首や肩がこらなければ、集中力も持続できます。それ以前に、上体を筋肉で支えていなくてよいので、その分のエネルギーを知性や動作に振り分けられます。正しい姿勢は、エネルギー配分を最適にしてくれます。

エネルギーは限りのあるものです。

悪い姿勢に無駄に消費されてしまっては、もったいないです。

一般常識は、ただの多数決

胸を張って、強引に背筋をピンと伸ばす。
良い姿勢になるのではなく、無理に良い姿勢に見せる。

これが姿勢について、正しいと思われていた「一般常識」でした。私はそれが「一般常識」であるばかりに、疑いすら持てませんでした。20年も意味のない努力をさせてしまうのですから、恐ろしいものです。

一般常識は、誰かがそれを公式に認定するわけではありません。何となく、多数決でそんな雰囲気になっているだけです。真実である保証は、どこにもありません。

一般常識の怖いところは、「本当にそうかな?」という疑いを持ちにくい点です。

社会は情報の海のようなものです。さまざまな情報が、絶え間なく入り続けます。その一つひとつに、疑いを持つなんてできません。疑い以前に、すべての情報に注意を向けるのも不可能です。人間は注意を向けた情報なら、それを疑えます。中学のあまり親しくなかった同級生から連絡が入り、マルチ商法に誘われれば、誰だって最初は疑います。その人の誘い方が上手で、結果としては信じるかもしれません。けれども一度は、注意を向けてその情報を疑えるのです。

一般常識の多くは、この疑いのフィルターを通せません。誰かの話の中で、本や雑誌の文章の中で、一般常識は決して目立たず、何の違和感もなく溶け込んでいます。大多数の人間が共有している認識なので、わざわざ目立たせる必要もないからです。受け取る側も一般常識として、自然と呑み込んで消化してしまいます。受け取るだけではありません。同じ人が、情報を発信する側にもなります。それを繰り返していく内に、一般常識は一般常識として、より強く定着していきます。

例えば私が中学生の頃は、「運動中は水を飲まない方が良い」というのが常識でした。水を飲むと筋肉が付かないだとか、身体を壊すだとか、もっともらしい理屈もありました。当時の先生もそれを真に受け、生徒に指導をしていました。

けれどもそれが間違いであることが、逆に今の常識になっています。水を飲まない方が良いことに、大した理由は元々ありません。どこかで何かが間違って、一般常識にまで成り上がってしまっていただけです。

もしかしたら、こんな経緯があったのかもしれません。あくまでも推測です。

ある人が運動中に喉の渇きにまかせて、大量に水を飲んでしまいます。そうするとお腹に処理できない量の水がたまり、運動能力が低下します。疲れも出てきます。そこで「運動中に水を飲むと身体に悪い」と、愚かにも判断してしまいました。

この間違った発見は、口から口へと伝えられていきます。情報を受け取った側は、最初の段階では意外だったでしょう。まだ一般常識ではないからです。でもそこに説得力を感じます。自分にも、水を飲んで苦しかった体験があるからです。ここで間違いが伝染します。感染者は親切で、他の人にも教えてあげようと考えます。間違いの伝染は、拡大していきます。やがて情報を発信する人が増えていけば、目や耳にする機会も多くなります。

スポーツ新聞や雑誌にも、書かれたかもしれません。メディア、教師、アスリートなどが発信源になれば、同じ情報でも権威を持ちます。受け取る側は、もう疑えません。初めて聞く人にとっては、意外な新真実になります。そんな驚きは他人に話したくなるものです。大多数の人に知れ渡っていくのに、多くの時間は必要なかったでしょう。何の確かな根拠もない思い付きが、例えばこのようにして、一般常識にまで成長していきます。

「背筋を頑張って伸ばせば、姿勢が良く見える形になる」。姿勢についての間違った一般常識が定着してしまったのは、この不幸な事実があったからでしょう。皆がそれで満足してしまって、他の可能性を追求しなかったのです。

ただ成果は長続きしません。気を抜けば、ねこ背に逆戻りです。そこで間違いに間違いを重ねます。気を抜かずに、意識して背筋を伸ばすようにすればよい。安易に、こう考えてしまいます。

矯正ベルトも筋力トレーニングも、同じ線上にある別の間違いです。多少の成果は出てしまうだけに、これも間違いに気付きにくくなっています。

原因の最初から正さないと、満足な結果は出ません。

スネの太い骨に体重を乗せる、坐骨《ざこつ》に乗る。たったこれだけのことで、手強かったねこ背は自動的に正されます。真相は、意外なほどにシンプルです。

あなたがこの事実を伝える発信源になって、ぜひ、一般常識を変えてしまってください。

①膝立ちから説明して、②スネの太い骨に乗る、③坐骨に乗るという順番だと、伝わりやすいです。

正しい姿勢で、首こり、肩こり、腰痛が改善

ねこ背でいると、首と肩がこります。**前に倒れそうになる上体を、首と背中の筋肉で支え続ける**からです。それではこって当たり前です。こうして背中が硬直して癖になってしまうと、今度は背筋を伸ばすのがつらくなってきます。

正しい姿勢でいると、首と背中は解放されます。硬直して癖になってしまっている

人の場合は、正しい姿勢でいることがつらく感じられてきます。硬くなっている筋肉を無理に伸ばしている形になるからです。けれども繰り返している内に、大抵はだんだんと楽になってきます。もしも硬直が重度だったら、ぬるめのお風呂にゆっくりと30分以上つかって、血行を充分に良くしてください。その後に正しい姿勢を取るようにすると、慢性化した硬直もほぐされていきます。

腰痛についても、悪くなり方は同様です。倒れそうになる上体は、想像以上に、腰への負担を大きくします。椎間板《ついかんばん》にかかる圧力は、良い姿勢のときの倍以上とも言われています。いつも前屈みでいれば、腰がつらいのは想像できます。ねこ背程度の小さな負担でも、積み重なれば、腰の耐久力を超えてしまうケースがあります。

正しい姿勢でいれば、腰に不要な負担をかけなくてもよくなります。

セミナーで姿勢を教わって正しく立った瞬間に、肩こりと腰痛が治ってしまった人もいます。嘘みたいですが、実際に起こった話です。

「あ、楽に立てる！　あれ、肩こりが治った！　腰も痛くない！」と驚いていましたが、まさかの即効性に私の方が驚きました。

これは特殊なケースかもしれません。けれども正しい姿勢が負担を減らし、肩こりや腰痛を和らげるのは事実です。

歩くのが速くなり、動き出しも機敏になる

ねこ背で立っていると、**太腿の前側**が緊張します。前に倒れそうになるのを、踏ん張るからです。

急な坂道を下る時を思い起こしてください。太腿の前側に力を入れて、転げ落ちないようにしています。それと同じ理屈です。もちろん、かかる負担の大きさは違います。本人も意識しなければ、ねこ背での小さな負担には気付きません。ですがこれが、その人の動作を鈍くしています。

太腿の前側に力を入れて踏ん張っている状態は、ブレーキをかけて止まっているのに似ています。ねこ背でいる間は、ブレーキがかかりっぱなしの状態です。歩くのも当然、遅くなります。

ねこ背の人が歩く姿は、大げさに言えばこうです。前に倒れそうになる身体を、片足を出して止まる。また倒れそうになった身体を、今度は反対の足を出して止める。これを繰り返します。身体を支えるための足なので、大きく前に踏み出せません。歩幅はどうしても狭くなります。だからねこ背の人の歩き方は、トボトボとした印象になります。急な坂道を下る時に、小さな歩幅でちょこちょことブレーキをかけますよね。あれを平地でやっているわけです。

正しい姿勢になると、歩き方も様変わりします。前に倒れ込むような歩き方ではなく、大きく前進するために一歩を踏み出せます。ここに後の章でお話しする、「正しい足の付け根のイメージ」が加わると、歩きは大きくダイナミックになり、前に前に力強く身体を運んでくれます。**これが平地の、正しい歩き方です。**

太腿の前側の緊張は、動き出しも鈍くさせます。ブレーキがかかりっぱなしなので、それを一度、解除しなければいけません。わずかな時間差のようで、違いは明白です。正しい姿勢を基本にすると、スムーズに楽に動き出せます。

正しい姿勢とは、**骨格にうまく体重を預けて、リラックスしている状態**です。力が抜けているので、必要な筋肉が素早く反応できます。何だか武道の真髄のような話ですが、実際の日常生活にも通じるものがあります。余計な段階は少なければ少ないほど、動き出しは機敏になります。

正しい姿勢は、心も真っ直ぐにさせる

朝礼の時に、ビシッと気をつけをすると、心が引き締まる感じがしました。つまらない授業で頬づえをつけば、ますますダラけた気持ちになりました。姿勢は心や精神を動かします。**その影響力は、多くの人が思っている以上です。**

人間はその時の気分に合った姿勢を、知らず知らずの内に選んでいます。そしてその姿勢が、気分をさらに盛り上げたり、落ち込ませたりしています。

青空の下の草原で、のびのびした気持ちで横になります。身体も自然と、のびのびと大の字を描いています。晴れやかな解放感は、ますます大きくなります。

悪い出来事があった時に、肩を落として下を向きます。落ち込みはもっと深刻になっ

て、世の中が真っ暗で希望がないように思えてきます。

気分が姿勢を決めて、姿勢が気分を加速させます。これが普通の図式です。

また逆の図式も作れます。**姿勢から入って、心は後からついていく形**です。

特別に嬉しい出来事がない時に、勇ましくガッツポーズをしてみます。何だか、気分が高揚してくるものです。

何でもないのに頭を抱えて下を向けば、追い込まれたような気分になってきます。

人間の精神と心は、姿勢やポーズだけでも、動いてしまうものです。毎日ガッツポーズをして、元気に健康になりましょう！という健康法も、バカバカしいようですが成立します。

姿勢の悪いねこ背の人は、どうでしょうか？

落ち込んで肩を落として、下を向いている人に似ています。ですからその人は、落ち込んで元気がないように「マイナス修正」をかけられています。ちょっとしたことでクヨクヨしたり、落ち込んだり、やる気をなくしたりします。嬉しい出来事があっても、いま一つ、テンションが上がっていきません。例えば気分に点数があったとして、**常にマイナス10点**になっているようなイメージです。

ここで実験をしてみます。

①わざとねこ背にしてみてください。
②そして何かを、クヨクヨと考えてみてください。
③次にねこ背のまま、明るく前向きに考えようとしてください。

クヨクヨと考えるのは、簡単にできたと思います。ところが明るく考えようとしても、難しかったのではないでしょうか。これがマイナス10点の力です（マイナス10という数字は、わかりやすくしているだけで、大した意味はありません）。

①では**ねこ背を止めて、正しい姿勢にしてください。**

座っている人は坐骨に乗ります。立っている人は、スネの太い骨に乗ってください。力を抜いて、自然と背筋がスッと伸びていれば、成功しています。

②まずクヨクヨと暗く考えようとしてください。

③続いて明るく前向きに考えてみてください。

いかがでしょうか。今度はねこ背の時と、逆の現象が起こったと思います。正しい姿勢は、あなたを明るく前向きにします。

姿勢によって、自分の心が自由に動かせなくなる。これを体験したセミナーの参加者は、皆さん、不思議そうな顔になります。ねこ背ではクヨクヨと考えるのが容易だったのに、正しい姿勢では、途端に難しくなる。変な言い方ですが、**気合いを入れて頑張らないと、落ち込めない状態**です。気を抜くとすぐに、暗い世界から抜け出してしまいます。

正しい姿勢での明るい前向きさは、ハイテンションではありません。**頭は冷静で、落ち着いた世界**です。背筋が楽にスッと伸びているので、身体に無理がありません。ですから変な気負いもなく、落ち着いていられるのです。

これが従来の良い姿勢に見えるものでは、話が少し違ってきます。

胸を張って、無理に背筋をピンと伸ばします。すると確かに、クヨクヨとは考えにくくなります。前向きにも考えやすくなります。けれども冷静さと落ち着きがありません。意気込みばかり強くて、力の入った硬い思考になります。「よし、頑張るぞ！困難に打ち勝つぞ！」と、例えばこんな風です。

一方、正しい姿勢での落ち着いた世界では、「目標を達成するには、まず○○が必要だ。それをクリアして、○○に取り掛かろう」と、こうなります。気負いがなく、クリアな状態で前向きに思考することができます。

無理に作った姿勢では、ただそれだけで力が入ります。力を入れながら、冷静にはなれません。思考能力も落ちてしまいます。**精神エネルギーを、姿勢を維持するために使ってしまうからです。**正しい姿勢では、その分のエネルギーを思考に利用します。

頑張って重い荷物を運びながら、物を考えるのは大変です。肉体をコントロールするのに必死で、考えるどころではないでしょう。それと同じ種類の出来事が、無理な姿勢では起こっています。

今時は珍しいかもしれませんが、真っ直ぐだけど融通が利かない人を観察してみてください。

きっと胸を張って、強引に背筋を伸ばしているでしょう。昔の厳格な、日本の父親像に通じるものがあります。

また融通は利くけれども、煮え切らない優柔不断な人は、かなりの確率でねこ背でいます。前向きさが足りず、物事を決断する勇気が出せません。

正しい姿勢は、人生を変える

人生は自分の力で切り開くものです。しかし自分の力だけで、すべてが決まるわけではありません。気合いを入れて頑張れば頑張るほど、より良い人生になるような単純な話でもありません。他人の言動、社会の状況、自然災害、天候など、数限りない要素が、あなたの人生に関わっています。

例えば、独立開業をして頑張ろうとします。景気やライバルの動向によって、状況が変わってきます。成功するためには、まず知識が重要です。

知識がないところでは、頑張り方も判断できません。やる気があっても、何をどうすればよいのかがわかりません。**正確な質の良い知識**を土台にすれば、何をどう努力すればよいのかも見当がつきます。情報は多ければ多いほど、思考が合理的になります。


具体的な例で、もう少し深く考えてみます。

開業の選択肢の一つに、フランチャイズへの登録があります。コンビニや飲食店などで、よく見かけるやり方です。ゼロから事業を作り上げなくてもよいので、開業のハードルが低くなります。

ただし、フランチャイズに登録したからといって、成功するとは限りません。慎重に的確に選択しなければ、むしろ失敗してしまうリスクの方が大きいものです。悪質なフランチャイズ業者は、加盟金やロイヤリティ欲しさに、楽に成功できるような話をしてきます。そのような内容の情報は、正確な質の良い知識とは言えません。不正確で悪質な知識を土台にしたら、どう考えても失敗するだけです。成功しよう！という気持ちが先走り、冷静さを欠いていたら、情報を正しく評価できません。

「冷静さを欠く」とは、姿勢で言えば、無理に胸を張って、強引に背筋を伸ばしている状態です。**あふれるやる気が、たびたび、その姿勢を取らせてしまいます。**半ば無意識の反応です。このままでは、言われるがまま、無謀なチャレンジをしてしまうでしょう。

その時に**正しい姿勢**でいれば、思考も変わってきます。

やる気にはあふれていても、無鉄砲ではありません。情報の裏付けを取って、他の可能性も考えてから、決断をしようとするでしょう。

正しい姿勢でいると、思考が冷静にクリアになって、合理的になります。より良く生きていくためには、前向きさが必要です。前向きさも、合理的である条件です。

ただ人間はどんなに勉強をしても、完全な知識は得られません。また予測はできても、超能力のような予知はできません。ですから決断には、常にリスクがあります。この場合の決断の中には、**何もしない**という決定も含まれています。

合理的な思考では、メリットを大きくしながら、リスクを減らそうとします。リスクをまったく気にせず、未来に突き進んでいくのは暴挙です。これは勇気に似ていますが、根本的には違うものです。合理的な思考では、知識が足りなければ、その時点では決断しません。情報を充分に把握してから、前向きな決断をしようとします。その上で残っているリスクを取るのが、本当の意味での勇気です。

ねこ背で悪い姿勢でいると、リスクが過剰に大きく見えてしまいます。痛い思いをしてきた過去の記憶が、足かせになります。それではリスクを取れません。**必要なリスクを取らないことも、大きなリスクの一つです。**何もしないでいると、何も得られません。得られない日々が続けば、人生は次第に先細りします。これはこれで、大変な危険です。

こうして考えてみると、人間は危険から徹底的に逃げるようにしていても、結局は前向きに進んでいく道を選ぶということがわかります。ただそれには、合理的な思考が条件となります。

人間は過去には生きられません。誰でも明日に向かって生きているのですから、全員が前向きに出来ています。人間の精神は、経験や教育、文化などによって作られていきます。栄養状態や冷え、科学物質も影響を及ぼしてきます。**精神と身体は、根っこの軸の部分ではつながっています。**

どんな姿勢でいるかによって、心の状態も連動して変化します。姿勢が正しいということは、心が正しくあるのと同じ意味です。

人間は精神状態に合わせて、姿勢を変えます。勉強や仕事をしていても、精神状態によって姿勢が違います。真剣に集中している時と、飽きてダラけている時とでは、まるで違います。

東京ドームで開催された花のイベントに出掛けた時のことです。

警備員さんが飽きてダラけてしまい、ねこ背でトボトボと歩いていました。5分も経たない内に腕時計を何度も確認し、いかにも退屈そうな様子でした。しまいには、仲間たちと雑談を始める始末です。開催の初日で、もうこれかと呆《あき》れてしまいました。この調子でいくと、3日目にはUNOでも始まりそうです。

もしこの警備員さんが、不審者を警戒するなど真剣に取り組んでいれば、様子は違ったはずです。ねこ背だった姿勢は、背筋がピンと伸びていたでしょう。同じ立ち姿でも、もっと堂々とした印象です。威圧感さえ出ていたかもしれません。**精神状態に合わせて、身体が自然と姿勢を作る**からです。

精神状態が良くないときに、姿勢が悪くなるのは仕方ありません。本を読んで内容が理解できず、苦痛になってくれば、姿勢もつぶれてきてしまいます。失恋をすれば、肩を落として下を向きます。よほど姿勢の意識が強くない限りは、誰だってそうです。

しかし体重を乗せる場所を間違えてしまい、悪い姿勢が基本になってしまうのは、話が違います。そんなことで前向きさを失ってしまったり、モチベーションが下がるのは、人生の損失です。

それを防ごうと、無理に前向きになろうとして、胸を張って背筋を伸ばす苦しい姿勢を取ります。ポジティブにはなれますが、あなたを無謀にさせます。わざわざ失敗や挫折を呼び込みます。

正しい姿勢は、あなたの精神が正しく働くための基本です。

人生は決定、決断の連続です。一歩、一歩、目標に向かって進んでいきます。
本来ある精神のエネルギーは、正しい姿勢によって発揮されます。
冷静に前向きに決断ができて、必要なリスクを取れる勇気が出ます。

たかが姿勢かもしれませんが、人生は変わります。

第3章

知れば、腕力が上がる！

2種類の腕の動き

①この人の腕の動きを見て、ご自分でも真似をして動かしてみてください。

肩関節などに障害がなければ、問題なく、できると思います。

②この人の腕の動きも、真似をして動かしてみてください。

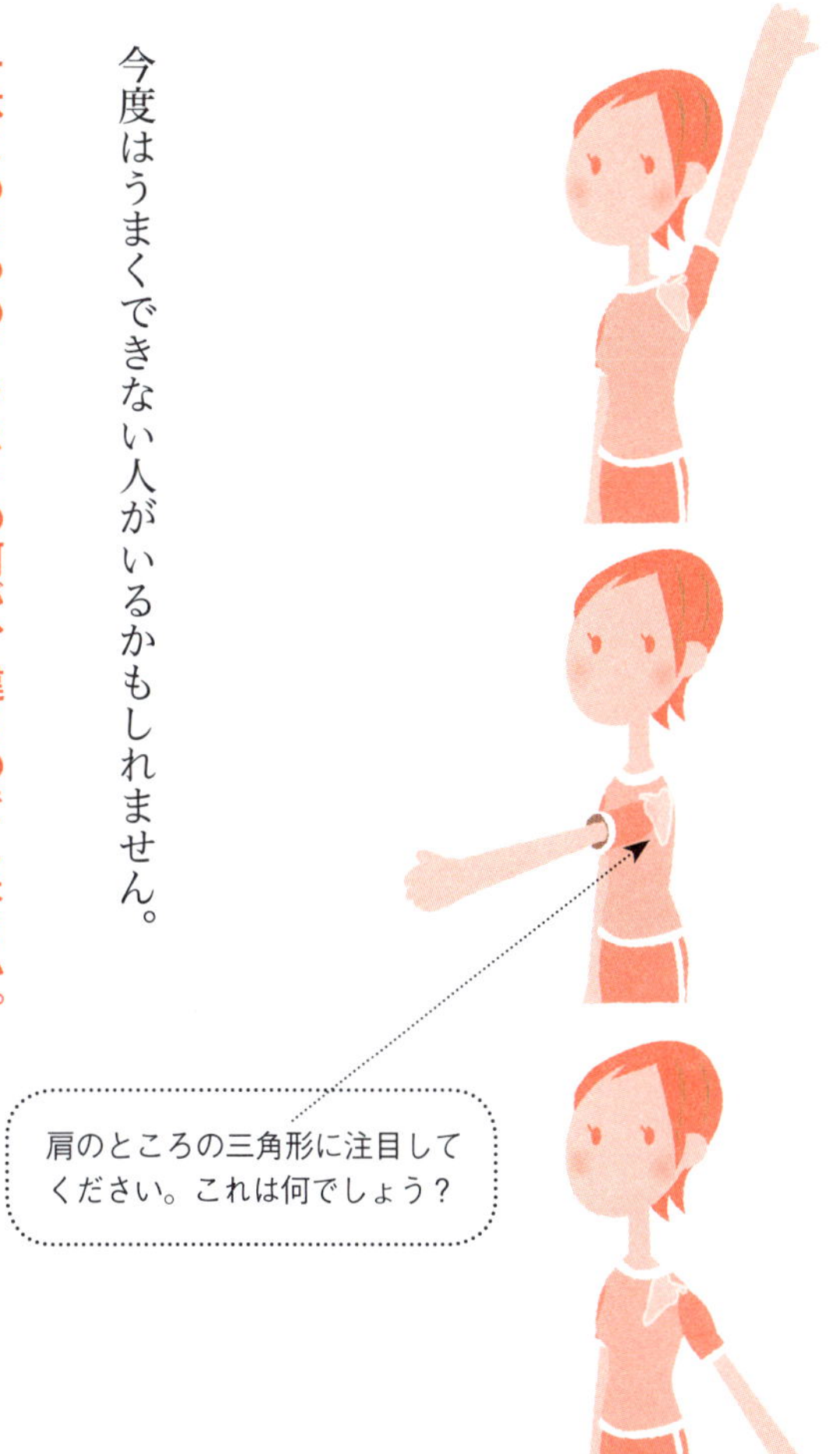
肩のところの三角形に注目してください。これは何でしょう？

今度はうまくできない人がいるかもしれません。

一体この２つのイラストの何が、違うのでしょうか。

2番目の方のイラストでは、腕がよりダイナミックに大きく動いているように見えると思います。

それに比べて最初のイラストでは、動きが小さくなっています。

実はこの違いは、

①肩関節が腕の付け根だと思っている人

②肩甲骨（けんこうこつ）が腕の付け根だと思っている人

の違いなんです。

この意識の違いは、腕の動かし方に大きく影響します。

通常は圧倒的に、「**肩関節**が腕の付け根だ」と思っている人の方が多いです。

なぜならそもそも私たちは、**肩から先の部分**を「腕」と呼んでいます。ですから腕を動かそうとする時には、肩を始点にしてその下を意識します。

その一方で、「**肩甲骨**が腕の付け根だ」と思っている人は、かなりの少数派です。

2番目のイラストの動きを真似できなかった人は、その**やり方を知らなかっただけです。**理解すれば、さほど練習などしなくても、簡単に身に付いてできるようになります。

肩甲骨を腕の付け根だと捉えるのは、ある古武道などの世界では常識かもしれません。しかし一般社会ではなじみが薄い捉え方です。カンフーを題材にした映画でも、主人公がその技術を教える際に、「肩甲骨を腕の付け根だと思って」と助言をしていました。古武道を習得するのは大変です。けれども腕の付け根のイメージについては、すぐにできてしまいます。

すぐにできてしまうくらい簡単ですが、その効果は、馬鹿にしたものではありません。

あなたの腕の使い方は、根底から改善されます。

そしてその効果は、一生、続きます。

肩甲骨《けんこうこつ》について学びましょう

肩甲骨について、あなたはどんなイメージを持っていましたか？

ほとんどの人が、あまり考えてもみなかったでしょう。

ここでピンと来たかもしれません。肩甲骨についても、普通は肺と同様に、**受け身の情報**だけなんです。

肩甲骨に対して特別な興味を持たず、普通に生活して得られる認識は、

> 背中の上の方に、右と左に一つずつある
> ＋
> 大きく平べったい形をしている
> ＋
> 肩こりをしやすい場所

こんな感じではないでしょうか。

この計算式で考えると、肩甲骨はどんな存在でしょうか。

その姿はおそらく、**背中の上の方にある平べったい壁**です。

そして肩甲骨付近にこりがある人は、そこをモジモジ動かすと、多少はほぐれて気持ち良いと思っています。

けれどもそのイメージは、ピクリとも動かない壁か、わずかにモジモジと動かせる壁かの違いで大差はありません。

この計算の回答は、あくまでも何となく考えなしにイメージしているものです。意識を向けて考えれば、この段階はすぐに飛び越えていきます。

もしあなたの肩甲骨に対するイメージがこのようなものではなかったとしたら、この問題について意識を向けて考えた経験があるのでしょう。

肩甲骨について、勉強します。

勉強するのは素晴らしいことです。学生時代に散々経験してきた、興味もなく、役にも立たないものを勉強しているのとは違います。勉強によって新しい知識が身に付けば、あなたの中の現実が変わります。現実が変われば、あなたはそれに基づいた新しい判断や発想ができるようになります。それはあなたの人生を、より素晴らしいものに導いてくれます。**この肩甲骨の勉強も、間違いなく、そんな良質の知識の一つです。**

この際なので、もし自分が勉強嫌いだと思っている人は、勉強を好きになりましょう。こんなに楽しいものは、そうはありません。

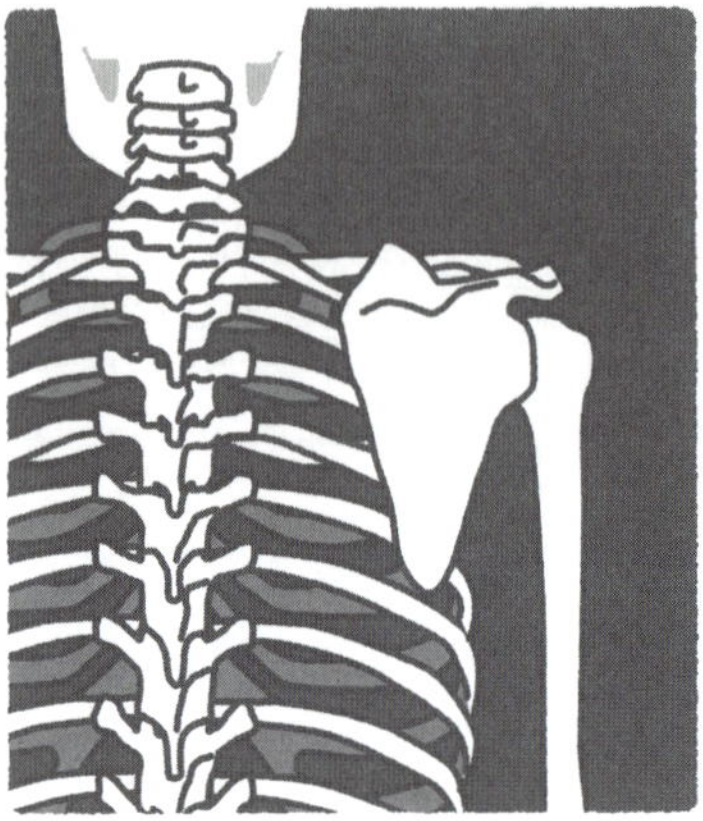

上の図で肩甲骨をよく観察してください。

でも難しい、細かい部分は見なくても大丈夫です。ここで知ってもらうのは、たったの2点だけです。

① 肩甲骨は、肩の骨とつながっています。

② 肩甲骨は、鎖骨とつながっています。

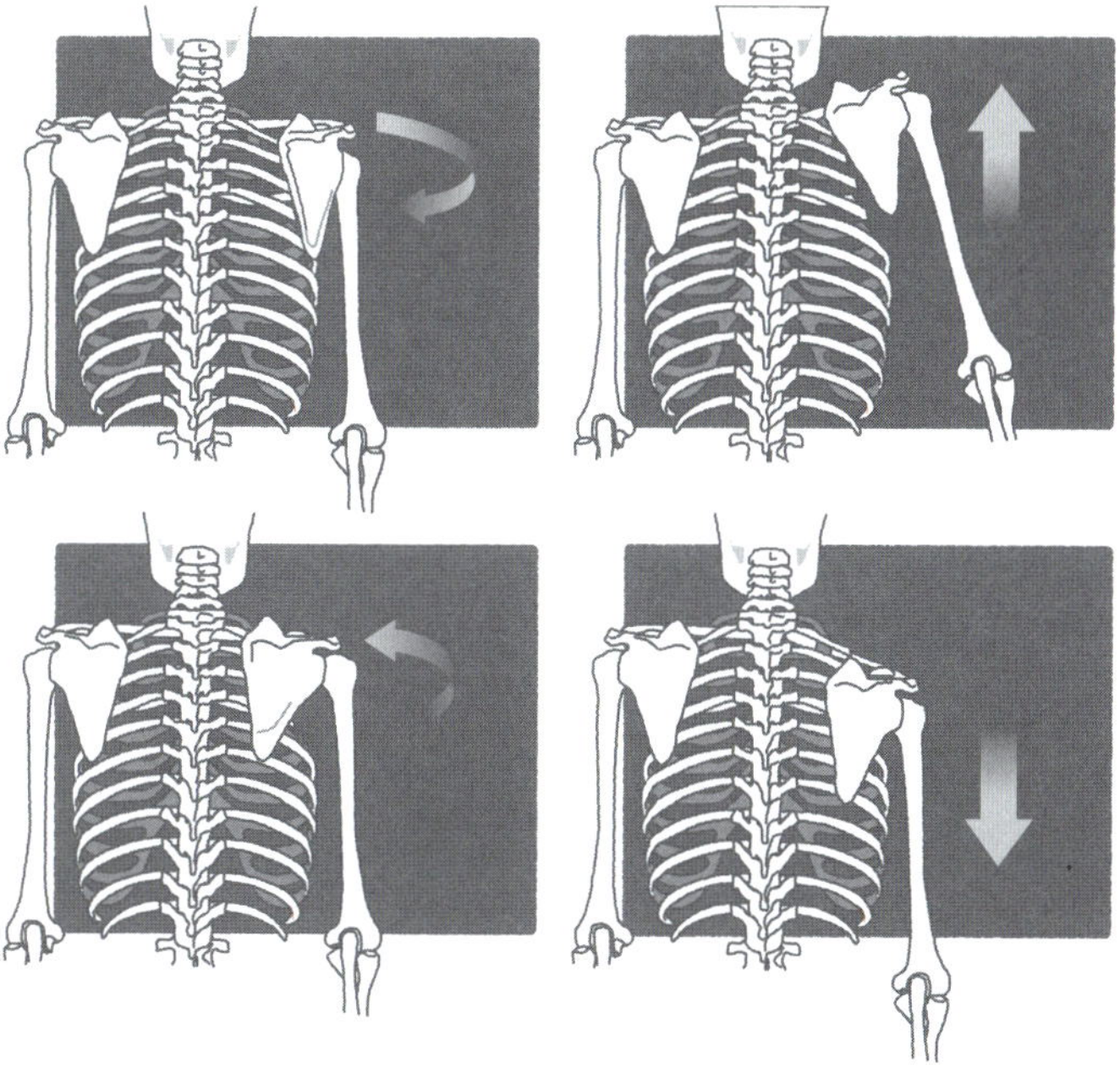

肩甲骨は、「何となく、背中にへばりついている骨」ではありません。

鎖骨にぶら下がるようにして、積極的に大きく動く骨です。

肩甲骨の裏側は浮いています。

背中の肋骨の上を、自由自在に滑るように動き回れるのです。

上下にも左右にも、上の図のように、大きく動きます。

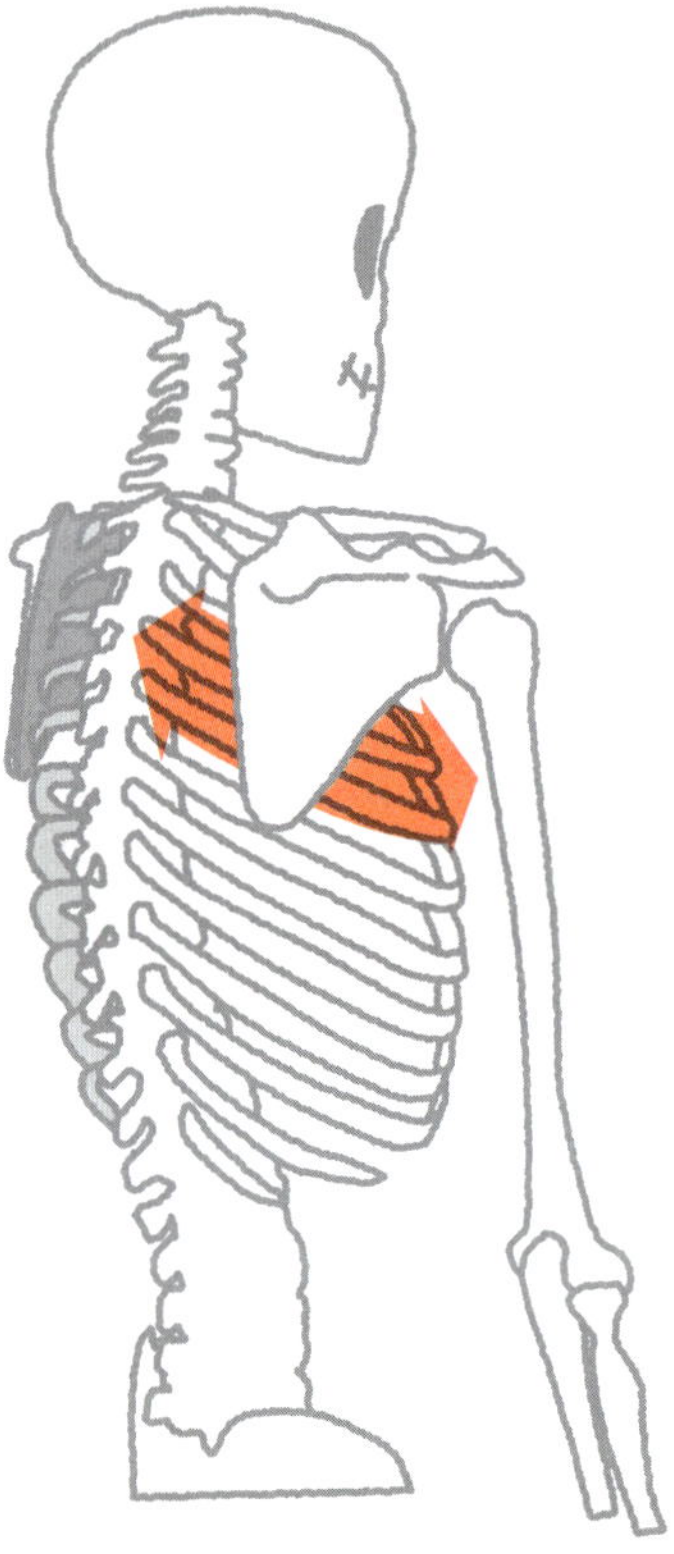

これは肩甲骨が広がっている様子です。

肩甲骨は肋骨の上を滑るように動きます。

上下の動きは背中が平面なので直線的です。

けれども横に広がっていく動きは、肋骨の丸みに沿います。ですから曲線的です。

肩甲骨は鎖骨にぶら下がるようにして、背中の肋骨の上を滑り動きます。ですから、

次の図のような動き方もできます。

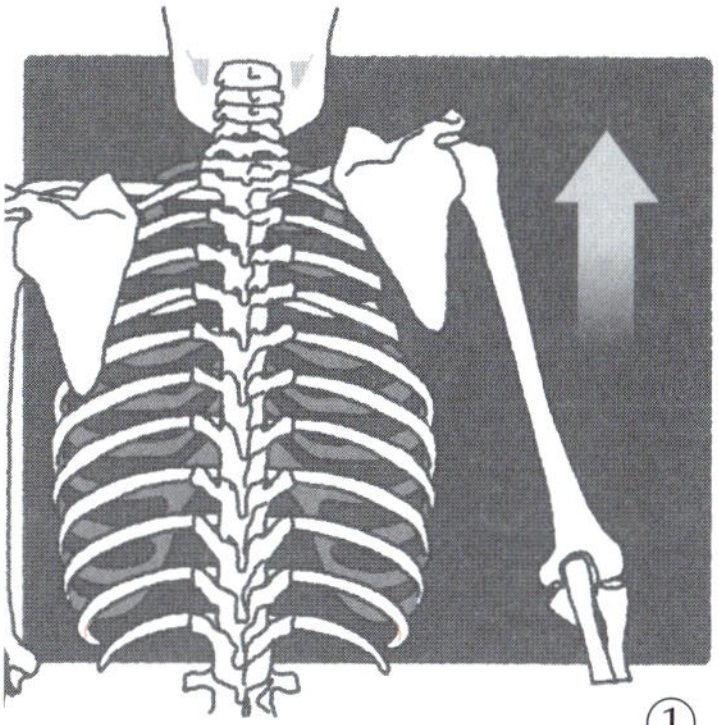

①

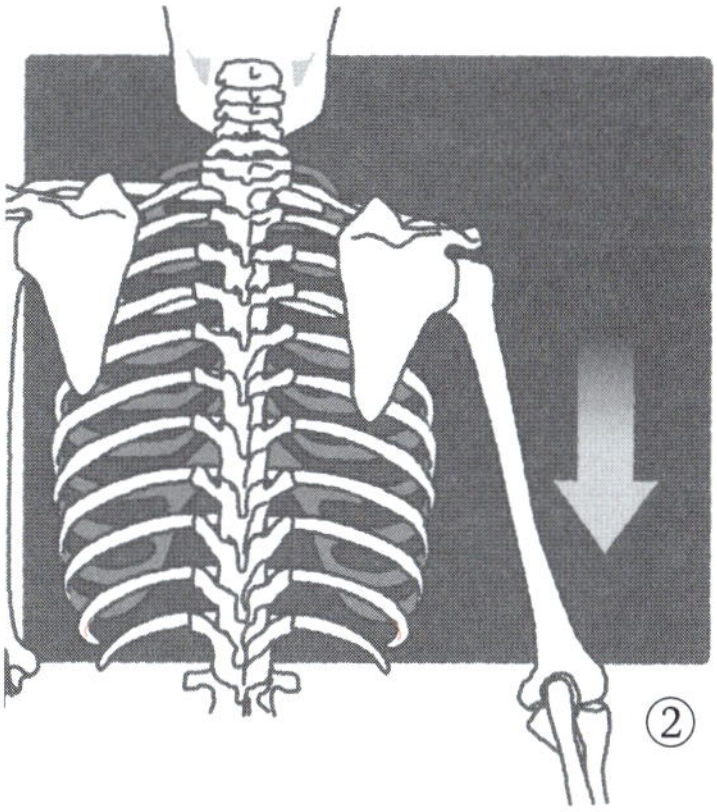

②

①の上方への動きは、日常的に皆さん、使っています。腕を上げる動作です。もしも肩甲骨が動かなければ、肩だけで腕を上げなければなりません。そうすると90度を越えるくらいまでが限界でしょう。肩甲骨が動いてくれるから、腕をもっと大きく上まで持ち上げられるのです。

肩甲骨の動き方は以上です。今までなじみのなかった人は、**思った以上に自由自在に動くものだな**という印象を持たれたと思います。これに関連した面白い話は、また後でします。

あなたは今、肩甲骨を使いこなす上で、充分な知識を得ました。
これで土台が整いました。次に実際に、腕を動かしてみます。

肩甲骨を使いこなそう！

肩甲骨は肩の骨とつながっています。ですから肩甲骨が動くと、肩関節も動きます。
肩甲骨は背中を滑ります。ですから背中全体を動かさなくても、肩甲骨だけを動かせます。

ここまで知識をつけると、あなたは本格的に、**「腕の付け根は肩甲骨である」**という意味が理解できていると思います。

この事実を知っていれば、今後の人生がまるっきり別のものになります。

これはこの本全体の知識で言えることです。決して大げさではありません。例えば肩甲骨の意識を正しく持つことだけで、腰痛にならずに済むかもしれません。

なぜそうなるのかは、また後ほど、お話しします。

① このイラストのように、腕をぐるぐると大きく動かしてみてください。

肩甲骨が腕の付け根だと思っている人の、腕の動かし方です。どうでしょうか。
先ほどはできなかった人も、今度は大丈夫だったと思います。

イラストより動きが小さくても、気にしないでください。肩甲骨の動かせる範囲には、個人差があります。動かせる範囲が小さいからといって、何も気にする必要はありません。

②今度は肩を腕の付け根だと思って、腕を大きくぐるぐると動かしてみてください。

動きがまったく違うと思います。動かせる範囲が、かなり小さくなってしまったのではないでしょうか。

先ほどの大きくダイナミックに動かせるやり方を覚えているので、少しイライラしてくるかもしれません。この「イライラ」は、実は人間が生きていく上で重要なものです。**もっと良い動かし方があるよと、あなたに教えようとしています。**人間はそうやって、身体に良いものと悪いものを区別しています。

肩甲骨を腕の付け根だと思って動かしていると、**気持ち良さ**があります。**これが人間にとって、より良い効率的な動かし方です。**

肩甲骨を腕の付け根にすると、動かせる範囲がまったく違うということは、もう充分に理解されています。けれどもこの利益は、動かせる範囲の問題だけではありません。実は腕を使う時の力強さが、まるっきり変わってきます。

肩甲骨は体幹部にあります。人間の身体の筋力は、手足の先よりも、体幹部の方が圧倒的に強くなっています。肩関節から指先までの筋肉だけで腕を使うのと、肩甲骨から指先までの筋肉で腕を使うのとでは、筋力の差が歴然です。

①**上のイラストのように、壁に手をつけて、グッと思いっきり押してみてください。**最初は肩が腕の付け根だと意識して、やってみます。**どれくらい、力強く押せるのかに意識を向けてください。**
②**次に肩甲骨が腕の付け根だと思って、押してみます。**

いかがでしょうか。おそらく、押し込む力強さがまるっきり違うと感じられたはずです。患者さんや、セミナー参加者は、この違いの大きさに驚かれています。

物を持ち上げる作業でも、確かめてみてください。
身の周りで、そこそこ重い物を見つけてください。
特に見つからない場合には、固定されて動かせない物でも実感できます。

ただし、いきなり全力で持ち上げようとするのは、絶対に止めてください。腰を傷めてしまう危険性があります。ゆっくりとジワジワと、必要な力まで段々と上げていくようなイメージです。

①まずは肩が腕の付け根だと意識して、持ち上げます。

②そして次に、肩甲骨が腕の付け根だと意識して、持ち上げます。

いかがでしょうか。おそらく**肩甲骨を意識した方が、軽く、楽に持ち上がったはずです。**腕にかかる負担が、はるかに軽くなっていることにも、お気づきでしょうか。

固定されて動かせない物で試されている方は、持ち上げようとする**力強さ**の違いを感じ取ってください。

この肩甲骨意識の力強さは、箸よりも重い物を持つ生活をしている人なら、誰でも日常生活ですぐに役立ちます。料理で重い鍋を振る作業も、比較的、軽くできるようになります。雑巾がけも、かなり助かります。子供を持ち上げて、ダイナミックに遊ばせてあげるお父さんは、そのパフォーマンスが上がってさらに人気者になれます。

プロのスポーツ選手でも、効果てきめんです。彼らは体幹部を使う意識は強くあっても、肩甲骨が腕の付け根であるとは意識していないものです。

プロボクサーの方にこの事実を教えたところ、サンドバックを叩く音が明らかに違ったそうです。もちろんプロですから、もともと「肩の先だけで手打ち」になってしまっていたのではありません。体幹部を綺麗に使った運動連鎖で、パンチは繰り出されていました。けれども**肩甲骨の認識**が曖昧《あいまい》であったために、今ひとつ、本来の力強さに欠けていたのです。言うなれば、体幹部全体を腕の付け根のようにイメージしていました。これはこれで間違いではないのですが、それだけだと、腕を前に突き出す段階での、最後の押しが弱くなっていたのでしょう。

もっと肩甲骨を使いこなそう

これまでの内容だけでも、あなたはかなり肩甲骨を使いこなせます。あなたの腕の動作は、一生を通じて、まるで別のものになっているでしょう。

けれども**肩甲骨は、もっと使いこなせます。**

話はマニアックになりますが、ついてきてください。中身は簡単です。

肩甲骨はイメージが伝わりやすいように誇張しています

①このように、両手を上まで高く持ち上げてください。

あなたは**肩甲骨が腕の付け根だ**と知っているので、知る前よりも楽に上がっているはずです。けれどもまだ、腕の末端の意識が残っています。

②腕の末端の意識を消して、肩甲骨に意識を集中させます。肩甲骨だけを動かすような気持ちで、両手を高く持ち上げてみてください。

どうでしょうか、今度はもっと軽く楽に持ち上がったと思います。

ここでのポイントは、**意識の配分**です。肩甲骨を腕の付け根と意識するだけでも、動きは大きく変わりました。けれどもそれは、今まで意識がゼロだった領域に気が向くようになったという段階です。ここから先に、意識の配分の問題があります。

人間の意識は、どうしても目立つ所に向きます。今の腕を上げる動作だと、手先に意識が向きがちです。手先は動きが大きい分、目立ちます。ですから人間は腕を上げるという動作を、手先を動かすイメージで捉えてしまいがちです。意識が末端に向く形です。

けれども腕の正しい付け根は、肩甲骨です。**付け根である肩甲骨が先に動いて、続いて末端である手先が動くのが正しい姿です。**

その意識の配分が手先に集中すると、動きの順序が逆になります。まず手先を持ち上げようとし、遅れて肩関節が動きはじめます。肩関節の動かせる範囲が限界になって、続いてようやく肩甲骨が動くという順番です。このような末端から始まる動きは、比べると、重くぎこちない印象になります。自分でも上げている腕を重く感じます。

動作は**付け根から出発するのが正解**です。ですから肩甲骨に意識を集中させて、肩甲骨だけを動かすようにすると、楽に上がるようになります。重い肩甲骨は、まず力強い自分自身の筋力によって持ち上げられ、続いて末端が連動してついていくような形です。末端の筋肉は末端だけの仕事をすればよいので、非常に効率的です。これが自然な姿です。

なぜこの説明を、腕を持ち上げる動作でしたのでしょうか。

それは他の動作では、負担が軽く、実感が薄いからです。

腕をただ前に水平に突き出す動作でも、理屈は同じです。肩甲骨から動きを出発させた方が、絶対に楽です。**試しにやってみてください。**何か物を取る時、つい手先を目標に向かわせようとします。このちょっとした動作でも、肩甲骨から動きが始まると、スムーズさが違います。

パソコンのキーボード操作くらいのものでも、肩甲骨に意識があると違ってきます。キー操作全体が軽やかになり、スピードがアップします。

キー操作では右手側の動きが大きくなりがちです。エンターキー（リターンキー）を頻繁に押すので、右手の左右の動きは意外に多くなっています。その左右の移動で、指先を向かわせる意識が強いと、キー操作が鈍ります。移動させる筋肉と打つ筋肉が同じになると、移動させる動きをキャンセルして打つ動きに切り替えるのに時間がかかります。**移動させるのに使う部分は、指先から遠ければ遠いほど良いです。**一番遠く効率的なのは、もちろん、肩甲骨です。

左右上下の移動は肩甲骨、キーを叩くのは指という風に、はっきりと役割分担をさせてみてください。左手のわずかな動きでも同じです。あなたがもしもパソコンを打つ仕事をされているなら、仕事の能率は上がり、身体にかかる負担は軽減されます。

またその打つ姿は、どことなく**綺麗に美しく**見えます。大げさではなく、これは本当です。

機能美という言葉がありますが、人間は本当の意味での効率の良さには美しさ、芸術性を感じるように出来ています。より良い生存の仕方を模索するための、生まれながらの偉大なメカニズムです。イチローやマイケル・ジョーダンのプレーに美しさと芸術性を感じるのは、この延長線上にある話です。

またその感性は、平和主義者のミリタリー好きを生み出したりもします。戦争反対を唱えながら、戦闘機の美しさを熱弁するような人です。このような人は一見矛盾しているように思えますが、兵器の使い道と形の美しさを区別しているだけです。このように考えると、人間性に問題のあるスポーツ界のスーパースターが、国民的、世界的なヒーローであり続けるケースも理解できます。

キーボード打ちが少し美しい程度では、普通はこの領域を想像することもできません。けれどもはるか遠くにではありますが、同じ線上に、彼らもいるのです。

次のイラストを見てください。四足で歩行する動物の骨格図です。

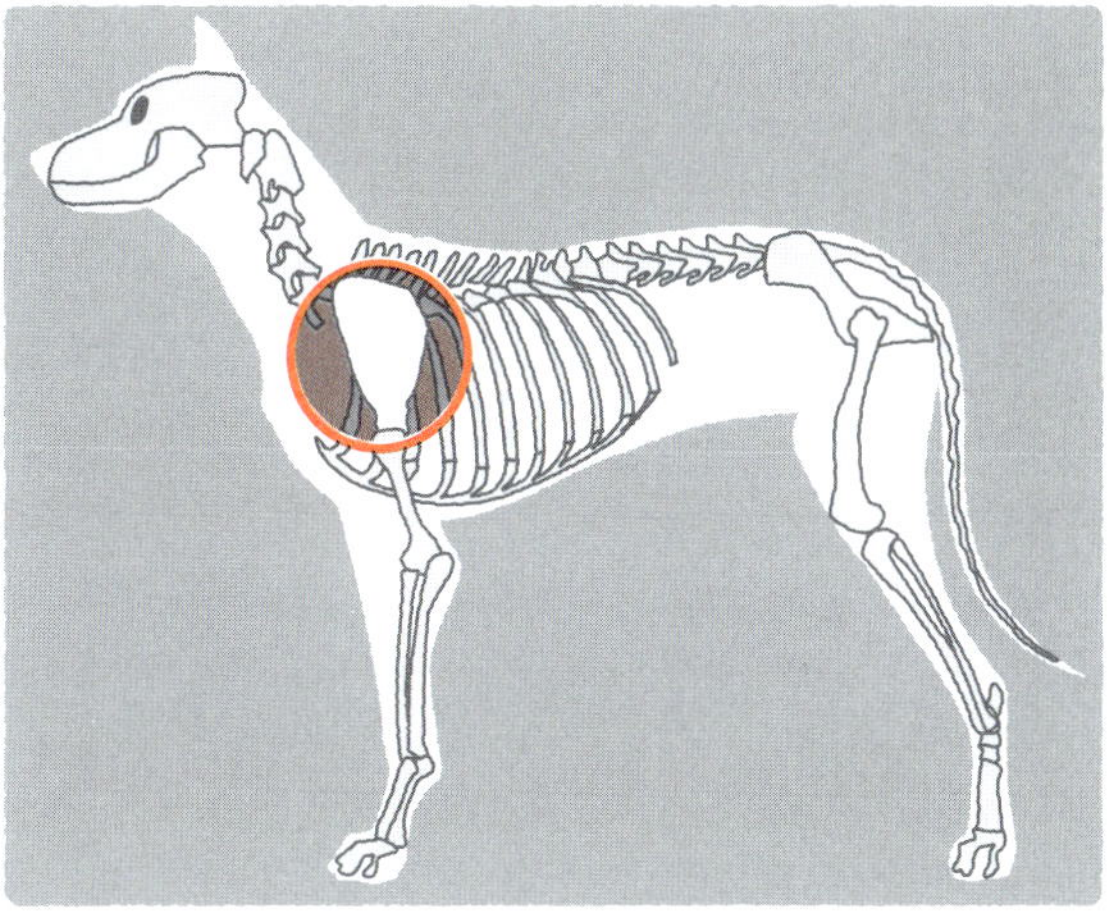

肩甲骨の位置、付き方に注目してください。前足が地面に伸びている分、肩甲骨は身体の**側面**に位置しています。これは常に前足で体重を支える構造である、四足歩行動物の特徴です。

「自分は人間だから、こんな動物の骨格図を見たところで意味がないよ！」

こんな風に思う人も、いるかもしれません。けれども少しだけ、お付き合いください。

この動物の骨格図は、あなたの姿でもあるのです。それを今から、ご説明します。

見て判るように、**肩甲骨は大きな骨です。**

骨の形や大きさには、一つひとつ、きちんと意味があります。すべての骨について、その意味を知る必要はありません。それは骨格研究の専門家か、一部の身体探求者に任せておきましょう。肩甲骨だけをしっかりと理解するだけでも、あなたの人生は大きく変わります。もちろんこの本のすべての知識を合わせれば、さらに良いものになります。

肩甲骨は、なぜ大きいのでしょうか？　それは、かかる負担が大きいからです。

肩甲骨は、腕の付け根です。四足歩行動物の場合には、前足の付け根です。四足歩行動物は、常に前足が地面に乗り、体重を支えています。歩いたり、走ったり、飛び跳ねたりという動作を、日常的に行っています。前足にかかる負担が大きいために、その付け根は、しっかりと補強されていなければならないのです。その補強に当たるのが、肩甲骨というわけです。

四足歩行動物の肩甲骨は身体の側面に位置していますから、前足の付け根として、どっしりと体重を支えられます。一方、人間の腕には、通常は、四足歩行動物のような負担はかかりません。しかし肩甲骨はしっかり大きくありますから、**実はかなりの負担に腕が耐えられるよう、設計されています。**しかしそのせっかくの設計も、肩が腕の付け根だと誤ってイメージしてしまえば、半分以上は台無しです。

次のイラストを見てください。

人間の肩甲骨は、背中に平面に付いている印象です。四足歩行動物とは、少し違います。

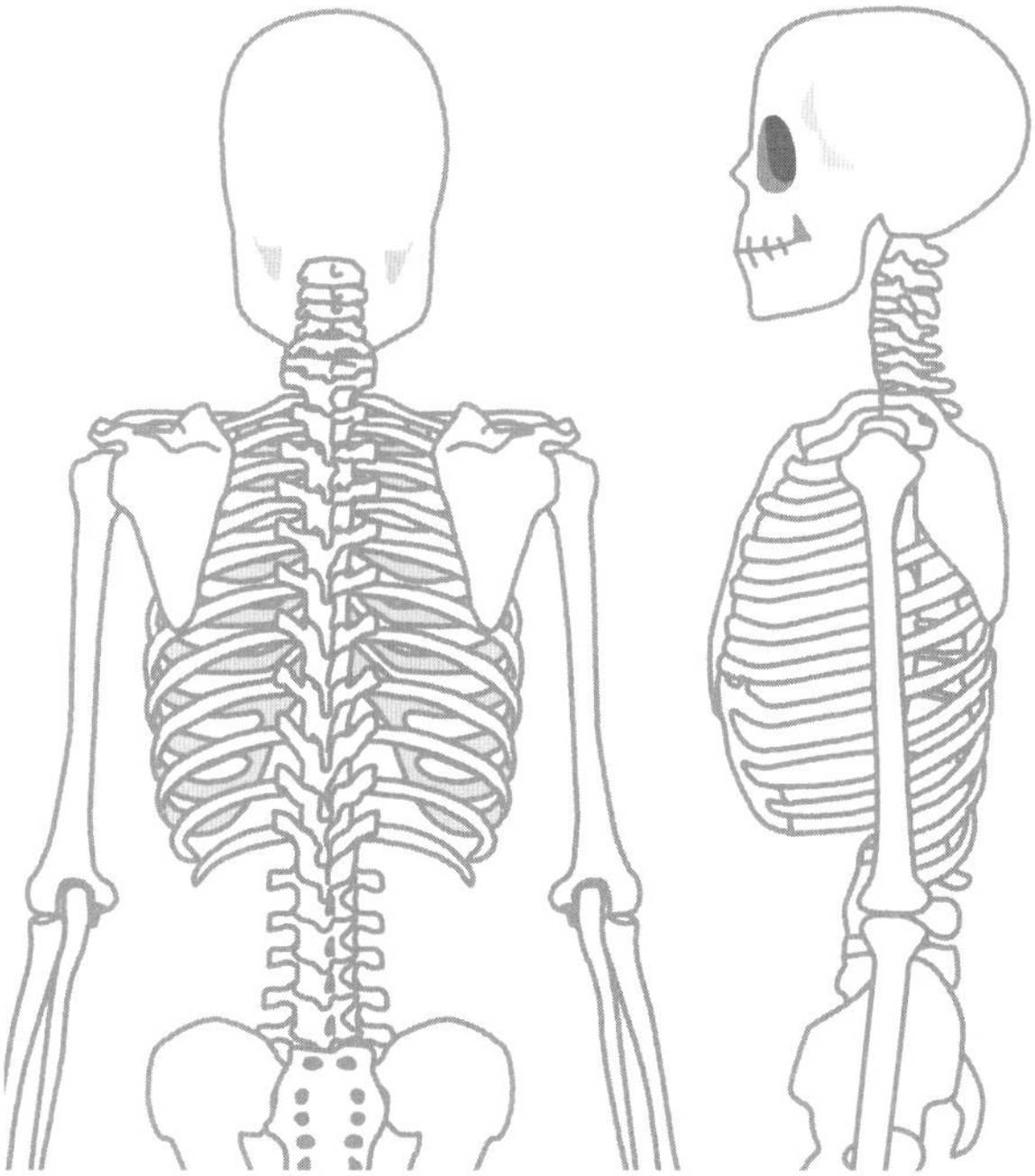

人間は二足で歩行しますから、肩甲骨が身体の側面にあっては、かえって不便です。それでは腕を身体の前にしか、突き出せません。犬が後ろ足立ちをしている姿を思い起こしてもらえれば、その不便さも想像できると思います。

背中を広くして、肩甲骨も平面にさせると、腕を動かせる範囲は飛躍的に大きくなります。それが人間の姿です。

人間は後ろ足に歩行を任せて、前足（腕）にその他の作業をさせています。ですから腕は力強さよりも、器用さが優先です。四足歩行動物のように前足（腕）を力強く使って地面を跳ねられませんが、彼らにはない、器用に大きく動かせる便利さがあります。

さて四足歩行動物と人間との、肩甲骨の違いについて学んできましたが、これが何の役に立つというのでしょうか？

実は人間の腕は、四足歩行動物のようにも使えるのです。

肩甲骨は、背中にへばり付いて動かない骨ではありません。鎖骨に吊るされるように、背中の上で浮いていて、自由に滑って大きく動ける骨です。ということは、肩甲骨は背中の平面上を離れて、身体の側面に移動できます。右の**イラスト②のように肩甲骨を動かすと、四足歩行動物に似てきます**。

人間は前足（腕）の力強さを犠牲にして、自由に大きく動かせる可動域を優先させました。肩甲骨をこのように移動させることで、人間は失われた前足（腕）の力強さを取り戻すことができるのです。

この肩甲骨の姿勢を取って、試しに壁を押してみてください。

ただ肩甲骨を腕の付け根だと思って使うよりも、さらに力強く、力を込められると思います。

背中と平面にある肩甲骨では、腕の付け根として、実はやや分断されてしまっていました。四足歩行動物の肩甲骨と前足の一体感に比べると、人間の肩甲骨と腕は、分断されている印象を持つと思います。これは力強さよりも器用さを優先させているためで、分断自体が悪いわけではありません。けれども普段は分断されていても、人間の身体には、四足歩行動物のように使える可能性が残されています。そのポイントは、**ただ肩甲骨を前にスライドさせるだけ**です。

前に押し出す動作でなくても、この力強さの差は実感できます。

試しに腕相撲をしてみてください。①最初は普通の今まで通りの姿勢でやります。②続いて、この肩甲骨を前にスライドさせる姿勢で試します。

何も仕掛けを聞かされていない相手は、あなたが急に強くなってしまったので、絶対に驚きます。

私も腕相撲は、まあ元々は強い方ではありません。腕が細く筋肉が付いていないので、そこで勝負をすると、分が悪いのです。私の父は見た目にも頑強で、太い腕を持っています。若い頃には、米兵相手に賭け腕相撲で小遣い稼ぎをしていたエピソードまであります。その父に腕相撲で勝てたためしなどなかったのですが、肩甲骨をスライドさせて勝負を挑んだところ、負けませんでした。…すみません。本当は「勝った！」という報告がしたいところですが、元々の実力差があり過ぎて、引き分け止まりです。それにしても父は、私の想定外の強さに驚いていました。

この肩甲骨をスライドさせる技術は、日常で頻繁に役立ちます。例えば私の場合には、子どもを持ち上げて遊ばせる時、洗濯機にお風呂の水を汲んで入れる時、大活躍です。

キーボード操作のご説明の部分で、**筋肉の役割分担**のお話をいたしました。この部分について、もう少し、詳しくお話しします。

腕の中で、肩甲骨は最も力強い場所です。一番弱々しいのは、小指の先の第一関節になります。

私たちは家庭や職場の力仕事を、わざわざ非力な人にさせることはありません。比較して腕力のある人間に任せるでしょう。人間一人の身体でも、その事情は同じです。力仕事は強い筋肉に任せて、弱い筋肉には担当させません。それが構造上の普通の姿なのですが、「腕の付け根は肩だ」と思ってしまうと、その力仕事が末端の弱い筋肉にまで回ってきます。

けれども肩甲骨が何もしないわけではありません。意識の上では腕から外されていますが、物理的にはつながっているので、一応はその仕事を助けてくれます。お母さんや子供達が一所懸命に働いていて、力自慢のお父さんが少し手伝ってくれるような光景です。ここでお父さんに家族の一員としての自覚が出来たら、きっと率先して力仕事を引き受けて、他の家族の負担を減らすでしょう。そのきっかけは、**肩甲骨を腕の一部分だと自覚する**ことです。

この**筋肉の役割分担は、意識で配分調整できます**。重い物を持ち上げたりするような、強い筋力を必要とする腕の運動の時には、**肩甲骨意識**を強く持ちます。肩甲骨にそのすべてを任せるようなつもりで大丈夫です。その時に肩甲骨を前にスライドさせる技術を使えれば、さらに強い力が発揮できます。

肩甲骨を使うと、腰痛にならない？

重い物を持ち上げる時には、どう気をつけていても、腰に負担がかかります。その際に肩甲骨が働いているのと、いないのとでは、腰にかかる負担がまるで違います。

体幹部は、肩から先の腕よりも、力強くなっています。重い物を持ち上げる時には、前屈みになります。物を持ち上げる動作は、前屈みになった姿勢を直立に引き起こす要素が強く働いています。これを担当できるのは、体幹部の筋肉だけです。

前屈みで曲がっている場所は腰ですから、それを直立に戻すには、腰周辺の筋肉を使わなければなりません。腰にかかる強い負担は、なかなか避けられません。

中には腰痛になるのを警戒するあまり、前屈みになるのを一切拒否して、直立した姿勢のまま脚力で持ち上げる人もいます。これはもちろん、間違いではありません。けれども人間の身体の構造を考えると、やはり非効率です。少ない荷物を持ち上げて運ぶような時には良いですが、その数が多くなると、時間がかかり過ぎてしまいます。

肩甲骨を強く意識して、前にスライドさせる技術を使ってみてください。

これによって腕の力が格段と強化されます。腰に近い背中の筋肉で持ち上げるイメージを捨てて、**肩甲骨で持ち上げるイメージ**に切り替えます。きっと驚くほど、重い物でも楽に上がります。

また**その時の腰にかかる負担を、よく観察してみてください。**

もちろん、負担はゼロにはなりません。けれども従来であれば腰にかかっていた負担が、かなり肩甲骨周辺に分散していると思います。

肩甲骨を充分に活用することだけで、腰痛もある程度は予防できます。この腰痛の問題については、この後の章でお話しする**大腰筋**《だいようきん》が大きく関わっています。

肩甲骨を活用する恩恵は、腰痛だけではありません。腕を使う運動にかかる負担のすべてが、軽減されるからです。

例えば料理人の仕事は、包丁に鍋ふり、調理器具や食器の掃除、原材料の持ち運びなど、腕を使う仕事の宝庫です。その中で、手首や肘、肩に痛みを訴える方は多くいます。職業病と言えるものです。

彼らがもし、この肩甲骨意識を適切に持てたなら、状況は著しく改善するかもしれません。肩甲骨は腕の中で最も力強い場所でありながら、**意識が薄い**というだけの理由で、充分に働きませんでした。そこが仕事にフル参加してくれるのですから、こんなに心強い援軍はありません。

実際に知り合いの料理人にこの事実をアドバイスしたところ、作業がかなり楽になったと喜んでいました。

スポーツ、運動能力の向上

もしもボクサーが肩甲骨を前にスライドさせることを覚えれば、それだけで射程距離が長くなります。また腕の付け根の意識を肩甲骨に持つだけで、パンチ力が上がります。

野球でボールを投げる動作、バットを振る動作、テニスでラケットを振る動作、水泳で水を掻く動作、ありとあらゆる腕を使う運動が向上します。

ゴルフの石川遼選手は、ゴルフ界屈指の飛ばし屋でもあります。あの一見、恵まれているとは言えない体格で、ドライバーで300ヤードを飛ばします。

その秘訣の一つに、極めて優秀な**肩甲骨の柔軟性**があります。肩甲骨を動かせる範囲が広いので、体幹部のパワーをより有効活用できます。

石川遼選手のスイングをスローで見てみると、テイクバックの時に、肩甲骨がグッと入っているのがわかります。他の多くの選手が、肩甲骨と背中が一体になっているのに対して、背中の上で肩甲骨が分かれて柔軟にスライドしています。

実は石川遼選手の肩甲骨の柔らかさは、ニュースになって話題にもなりました。手の甲を腰に当てて、肘を前にぐいっと突き出している映像を、覚えていらっしゃる方もいると思います。

肩甲骨の柔軟性は、実はゴルフ界ではかなり重要視されています。けれどもその理由は、肩を大きく回せるからという理由にとどまっている印象を受けます。確かにそれも大きいのですが、肩甲骨を背中から分離して動かせるのも、同様に大きな要素です。

肩が大きく回っているのは、あくまでも目立つ場所での印象です。それ以前に、本来の腕の付け根である肩甲骨それ自体が、大きく回っているのです。「肩甲骨に付いてくる形で肩が回っている」というのが、正確な見方ではないかと思います。肩関節はパワーの源ではありませんし、スイングの振り子の頂点でもありません。肩甲骨がより腕全体と一体化し、**体幹部のパワーをスイングにつなげている**からこその素晴らしさです。

肩関節の動きは、特に注目するポイントではありません。また肩甲骨がいくら柔軟でも、身体を使う**意識**がなければ、充分には使いこなせません。石川遼選手は、肩甲骨の柔らかさを重視し、その意識がもともと高い様子が窺《うかが》えます。肩甲骨の使い方に対する高い意識があるからこそ、今の優れたスイングが実現されています。

この石川遼選手の話は、一部の天才だけに与えられた、別世界のものではありません。筋力も柔軟性もセンスも人それぞれです。けれども肩甲骨の活用については、あなたも今すぐ、同じ世界を垣間見ることができます。あなたはこの本をここまで読んでこられて、常人よりも、はるかに詳しく肩甲骨について認識しています。これは直接、スポーツに活かせます。

私もアマチュアでも低めのレベルでテニスをやっていますが、それでも、肩甲骨を意識的に使う打ち方の恩恵を受けています。片手打ちのバックハンドで、肩甲骨を分離させて構えることで、鋭いスイングスピードを実現させています。肩甲骨が肩から先と一体化しているので、相手の強く重いボールにも当たり負けせずに支えていられます。打ちやすいとされるフォアハンドよりも、バックハンドの方が威力があるくらいです。

他にも、野球やバドミントン、柔道など、腕を多く使う種目ではすぐに活用できます。肩甲骨をスライドさせる意識がなくても、**肩甲骨が腕の付け根だとイメージさえしていれば、パフォーマンスに変化が出ます**。

また意外かもしれませんが、ジョギングやサッカーなど、腕をあまり使いそうにない種目でも変わります。

ジョギングでは腕の振り方も、フォームを作る上で大きな要素です。

この時に腕先を振る意識を捨て、肩甲骨に意識を向けてみてください。

それだけで**体幹部の力を、前に飛ぶ推進力に使える**と実感できるはずです。逆に腕を振りにいってしまえば、むしろロスになると気付きます。腕を振るエネルギーが、推進力になっていない事実に直面するからです。

サッカーは全身を激しく使うスポーツです。キックやトラップ、急発進に急停止、あらゆる動きの中でバランスを保たなければなりません。バランスを取る上で重要なのが、腕の使い方です。ただ肩から先でバランスを取るのと、体幹部を動員して肩甲骨から先でバランスを取るのとでは、質がまるで違います。動き全体に躍動感が生まれ、動きと動きのつなぎもスムーズになります。

これは、肩甲骨の一点だけでは語れません。全身の連動性の問題です。けれどもそれを高める突破口の一つに、肩甲骨の高い意識があります。あまり褒められた行為ではありませんが、サッカーでは、ユニフォームを引っ張って妨害するというプレーもあります。それも腕先で引っ張りにいくよりも、肩甲骨意識で行った方が、さり気なさが出て反則になりにくいかもしれませんね。

肩甲骨の付け根意識が、心を伝える

「小手先」という言葉があります。

決して悪い意味ではありませんが、日常の中で、良い意味で使われる場面にはあまり遭遇しません。「小手先の技」と言われれば、細かい器用な技術という意味の他に、本質を欠くようなニュアンスを感じ取ってしまいます。「見事な小手先の技だ！」と賞賛されるよりも、「しょせんは小手先の技に過ぎない」といった、否定的な意味合いで使われているようです。「小手先の技」を、ごまかしのテクニックのような意味で使う場面も多く見受けられます。

小手先とは、手の先の方という意味です。手先には力強さはありませんが、器用さがあります。人間は細かく器用なだけのものを、あまり高くは評価しないようです。またなぜか、小手先だけの動きは、美しくは決して見えません。

ここで小手先の動きと、そうでない動きとを、実際に比較してみましょう。

①自分の姿を正面から鏡に写します。

②応援団のフレーフレーのポーズを作ってみてください。
始めは肩を腕の頂点にして、小手先だけで行います。
できるだけ、元気良くやってみてください。

③続いて、肩甲骨を頂点にして、同じように動かしてみます。

いかがでしょうか。力強さ、美しさに雲泥の差が出たと思います。

肩甲骨を腕の付け根にして動かすと、その腕の動きは、小手先ではありません。体幹部を中心にした、身体を大きく使った動きになります。それが見た目の美を生み出します。「小手先ではない動き」は、本質を演出します。

これは腕を使う動作、すべてに当てはまります。

鏡でいろいろと、試してみてください。

「エイ、エイ、オー！」と拳を突き上げれば、より力強くなります。

ファイティングポーズを取れば、今にも襲い掛かってきそうです。

両手を胸の前で合わせれば、スッと決まって神妙な気持ちにさせます。

元気良く万歳をすれば、喜びを全身で表現しているように見えるでしょう。

これらすべてを肩を頂点とした小手先でやってしまうと、こうはいきません。その違いは、見比べてみれば一目瞭然です。

人間は本能的に、小手先には力がないと知っています。ですから小手先の動作には、迫力を感じられません。本質を欠いた、見せ掛けだけのものという印象になってしまいます。これはどんなに手先を頑張って激しく動かしても、ごまかしきれません。小手先ではない、体幹部を中心とした動きと見比べてしまえば、誰もが何かが違うと気付きます。ただ**その印象の正体の中身を、知っている人は稀です。**

人間の腕は、暴力を振るって相手を傷つける道具になります。けれども相手をもてなしたり、愛情を示す道具にもなります。

体幹部が入ったファイティングポーズは、繰り出されるパンチが本物であると威嚇します。本来の腕の付け根から決まった剣道の構えは、竹刀が持つ暴力性をより強く伝えるでしょう。暴力は見せ掛けか本物かで、相手に与える脅威に大きな違いが出ます。目の前で構えられた時に、受ける圧力の差は歴然です。

また一方、人間の腕は、好意や愛情を伝える道具にもなります。もちろん、こちらの機会の方が一般的です。

今度は、**お茶を出す動作**を比べてみてください。

鏡に向かって、ゆっくりとテーブルにお茶を置きます。床でも構いません。

① 例によって一回目は肩から先の小手先の動作で、
② 二回目は肩甲骨からの本質的な動作です。

いかがでしたでしょうか。おそらく肩甲骨からの本質的な動作の方が、より丁寧で誠意ある振る舞いに感じられたはずです。それに比べると小手先の方は、どんなにゆっくりと丁寧に置いても、心のない見せ掛けに映ったのではないでしょうか。協力してくれるパートナーがいれば、いろいろと実演し合うと良いと思います。さらに理解が深まります。

今お茶を出す動作を例に出しましたが、こういったことで、人生が大きく変わるケースもあります。

人間の心は**慣性の法則**のようなものが働きます。猛スピードの車が急ブレーキをかけても、突然は止まれません。速度を落としながら、しばらくは前に進み続けます。これが慣性の法則です。ひどく怒ってしまった人が、原因がなくなっても、しばらく不機嫌でいつづけるようなことです。逆にすごく嬉しくなった人は、その嬉しい出来事から離れても、しばらくは上機嫌でいます。怒りも上機嫌も、次第に落ち着いていき、その人の精神状態なりの普通の気分に戻っていきます。

ですからお茶の出し方一つで、もしその人にもてなしの心が伝わり、上機嫌にさせられたらどうでしょうか。重要な商談が前向きに進むかもしれません。あなたの無理な頼み事を、のんでくれるかもしれません。逆にそこで気に障ってしまうと、その機嫌を取り戻すのに、あなたは苦労をする羽目になります。その人がゴルフでナイスプレーをしたエピソードを、1時間も余計に聞かなければならないかもしれません。

お茶を出すという動作にまつわる、小手先のマナーの情報は、世の中にあふれています。けれどもその本質は、いかにおもてなしをする**誠意**が、相手に伝えられるかということです。

ここでは肉体的な動作として、今のお話をいたしました。けれどもそこに心がなければ、まったく意味がありません。誠意は心から湧き出てくるもので、それが動作を通じて、相手に伝わるのです。動作は心を伝える手段であって、誠意を装うものではありません。それでは本末転倒ですし、形だけで装われたものは、決して人の心を動かしません。もし形だけの動作であれば、不快にはさせないという、消極的な効果にとどまってしまうでしょう。

しかし面白いもので、形だけでも整えると、心が自然と湧き上がってくるケースも多いようです。形から入って、心が後からついてくるという現象もあります。ですから身体の動かし方、動作は侮れません。

動作が先で、心が後からついてくる。なぜ、こんな現象が起こるのでしょうか。

それを今から、丁寧にお話しします。

自覚できない「心の動き」

人間の心は、一般的に何となく認識されている姿以上に、豊かに活発に動いています。

周りをぐるっと見回してみてください。何がありましたか？

私が見渡すと、パソコン、プリンター、小物入れ、数冊の本、パーテーション、時計、施術用ベッド、タオル、座布団、冷え取り靴下、経絡人形、骨格標本、コート掛け、傘立て、ビニール傘、扉、扉の向こうの外壁などが見えます。

今認識した物すべてに、私の心は反応して動いています。とは言っても、その一つひとつに大きく反応するわけではありません。私自身、反応したことなど、現段階では認識できていません。それはあまりに小さな反応で、他の意識に覆い隠されてしまっているからです。

覆い隠されているというのは、ないという意味ではありません。

存在するけれども、見えないという意味です。

例えば私が、骨格標本に微《かす》かな愛着を持っていたとします。すると私の心には、骨格標本を見た瞬間、愛情のようなものが浮かび上がってきます。しかしその愛着は微かなものなので、私自身には感じ取れません。芽生えた愛情の感覚を、捕まえられません。

もしかしたらその愛情は、骨格標本を処分する時になって初めて、自覚できるのかもしれません。これは捨てる段になって、急に愛着が出るのではありません。もともと愛着があるから、それが失われようとする時に、心が大きく反応をします。大きな反応になったその時に、ようやく私本人が、愛情の存在を認識できるというわけです。

そして捨てるのを止めたとします。

一度だけでも自覚した大きな感情は、その後も残り続けます。今度は明らかに愛着ある大切な物として、手元に置き続けるようになります。今のところ名無しですが、名前を付けるかもしれませんね。

こんな風に、**人間の心には、自覚できない部分が多くあります。**

あなたは「消しゴム」について、どんな感情を持っていますか？

普通だったら、「大好き」とか「大嫌い」とか、これといった強い感情は持っていないでしょう。

けれども今まで消しゴムを使ってきた中で、あなたは随分とお世話になってきたはずです。小学校の平仮名の練習、消しゴムを落とし合うゲーム、夏休みの宿題の追い込み、高校受験、資格試験受験など、多くの思い出があるはずです。

そんな経験の中に、あなたはきっと、消しゴムについて何らかの良い印象と感情を持っていると思います。ただその好感が特別なものではなく、あまりに小さいので、自覚できないだけなんです。

先ほどあなたは、身の周りを見回しました。けっこう細かく、いろいろな物があったのではないでしょうか。

その一つひとつに、あなたの心は動かされています。けれども多くは、今の消しゴムのように、**自覚が難しい小さな動き**です。

消しゴムについての感情は、プレゼントやいじめなどの特別なエピソードがない限りは、親近感と呼ぶのがしっくりと来るかもしれません。

いくら消しゴムにお世話になってきたからといって、「大好き」までになる人はごく少ないでしょう。ですから好きまでではないけれども、自分に近い好感の持てる存在としての親近感です。

消しゴムでなくても、**同じくらいの存在感の物に、手を伸ばして取ろうとしてみてください。**

その時に、小手先だけで取ろうとするのと、肩甲骨を腕の付け根だと意識しながら取ろうとするのとでは、心の動きが違います。

すみませんが、この心の動きには、感受性が必要です。もしかしたら、やってみても理解できないかもしれません。

精神を落ち着かせて、自分の心の動きに全神経を集中させて、やってみてください。

いかがでしょうか。

もしここで違いを感じ取れなくても、問題はありません。

実感を伴った理解でなくても、知識として持っているだけでも、充分に役立ちます。

経絡《けいらく》とチャクラ

ここで経絡《けいらく》とチャクラについて、ご説明します。一般の読者の方にはなじみが薄い内容ですから、できるだけ簡単に、わかりやすくお話しします。

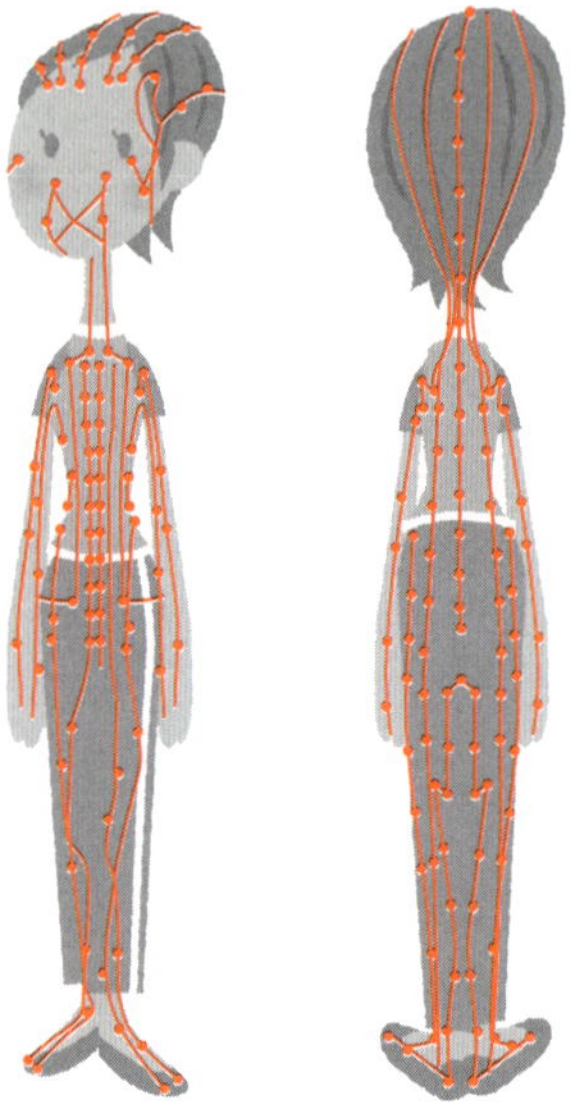

経絡とは、気の流れ道です。血液が循環する道が血管で、これは目に見えます。気は目に見えず、どんな機械を使っても明確に測定できるものではありません。ですからその流れ道である経絡もまた、目には見えません。

身体のすべての組織、すべての細胞が、活動するために気を必要としています。ですから気の流れ道は、細かく分かれ、全身に張り巡らされています。

一般的な経絡図になる**14経絡**は、その大通りを表現したものです。大きな血管の他にも、毛細血管などの小さな血管があるように、小さな細かい経絡もあります。

この循環の乱れは、当然、人間の心身の機能に悪影響をもたらします。

一方**チャクラは、人間の精神と肉体とをつなぎとめておく、ボルトの役割をしています**。人間の身体の中心線にあります。

人間の身体は、精神が支配してコントロールしています。このボルトであるチャクラが乱れると、その周辺の機能が衰えます。

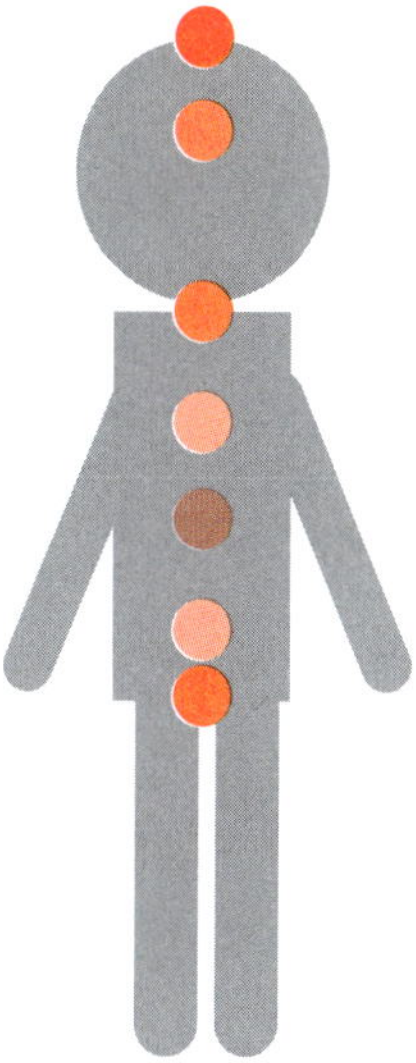

またチャクラの働きは、精神活動に直結します。精神のエネルギーは、チャクラにあります。

ということは、**人間の精神は体幹部と頭部の中心線に位置しています。**

経絡とチャクラに関連して、今までの内容を照らし合わせて整理しましょう。

経絡は気の流れ道で、身体の隅々まで行き渡っています。ですからその足先、手先に至るまで、気は循環しています。チャクラは体幹部の中心線で固定されたものです。どちらも人間の心に大きく関わっています。

小手先だけの動きというものを見たときに、**経絡は小手先に含まれますが、チャクラは含まれません**。小手先だけに頼った動作は、身体の中心線から、遠く分離してしまいます。心の中心から離れ、小手先に流れる気だけが、かろうじて心を伝えるエネルギーになります。これでは心は充分には伝わりませんし、それ以前に、自分自身の動作にも魂が込められません。

肩甲骨を腕の付け根として意識した方が、同じお茶を出す動作一つにしても、より丁寧に感じられます。そして自分の真心も込められます。

身体の中心線に近い場所から導き出された動作には、このように自然と心が入るのです。

親近感の話に戻ります。

親近感が芽生えるのは、脳でもあり、それ以前に精神のエネルギーです。精神のエネルギーが親近感を覚え、それが脳によって処理されるような順序になります。ですから**人間はまず、身体の中心で親近感を芽生えさせています**。親近感のある物に近づくと、その気持ちは強くなります。物を取る動作は、より親近感が強く働きます。小手先だけで取ろうとしても、心の入り方が薄いので、親近感は小さくなります。肩甲骨を意識して取ろうとすれば、より多くの心が動作に入りますので、親近感も強く大きくなります。

これを逆の物でやってみてください。

嫌いな物を見つけて、それに手を伸ばします。

嫌な思い出の品で、見るたびに気分が悪くなるような物。嫌いな虫、嫌いな食べ物でも良いです。**これも同様に、小手先と肩甲骨意識の両方で行います。**

いかがでしょうか。

嫌いな物が相手だと、肩甲骨意識の方が、より嫌な気持ちになったと思います。

親近感の方で感じ取れなかった人も、こちらの「嫌な気持ち」であれば、理解できたかもしれません。親近感と同様、嫌悪感も身体の中心にあります。

心を込める動作は、小手先では駄目。

身体の中心からこそ、動作に心が入るし、相手にも伝わります。これは暴力でも真心でも同じです。

腕の動作だけでお話をすれば、肩甲骨意識が重要です。

しかし人間の動作は、腕だけではありません。ファイティングポーズで構えるのも、お茶を出すのも、全身の動作です。肩甲骨意識だけでは、すべてを語れません。

このお話は、次の章でさらに深く掘り下げられます。

第4章

知れば、速く歩けるようになる！

足はどこから生えているの？

足という言葉は実は複雑な使い分けがあって、足首から先を足、骨盤から足首までを「脚」と書いたりします。足、脚、肢など、同じ音でも違う漢字があり、使われ方も微妙に違います。

この本では、一般的になじみの深い「足」という漢字を、下肢の部分全体を表す意味で使うことにします。

さてここで問題です。

「足はどこから生えているのでしょうか？」

言い方を変えると、**足の付け根はどこでしょうか？**

腕の付け根が肩関節ではなく、肩甲骨だと知っているあなたであれば、常識が間違っていると、察しはついていると思います。

そうです。**太腿の付け根や股関節は、足の付け根ではありません。**

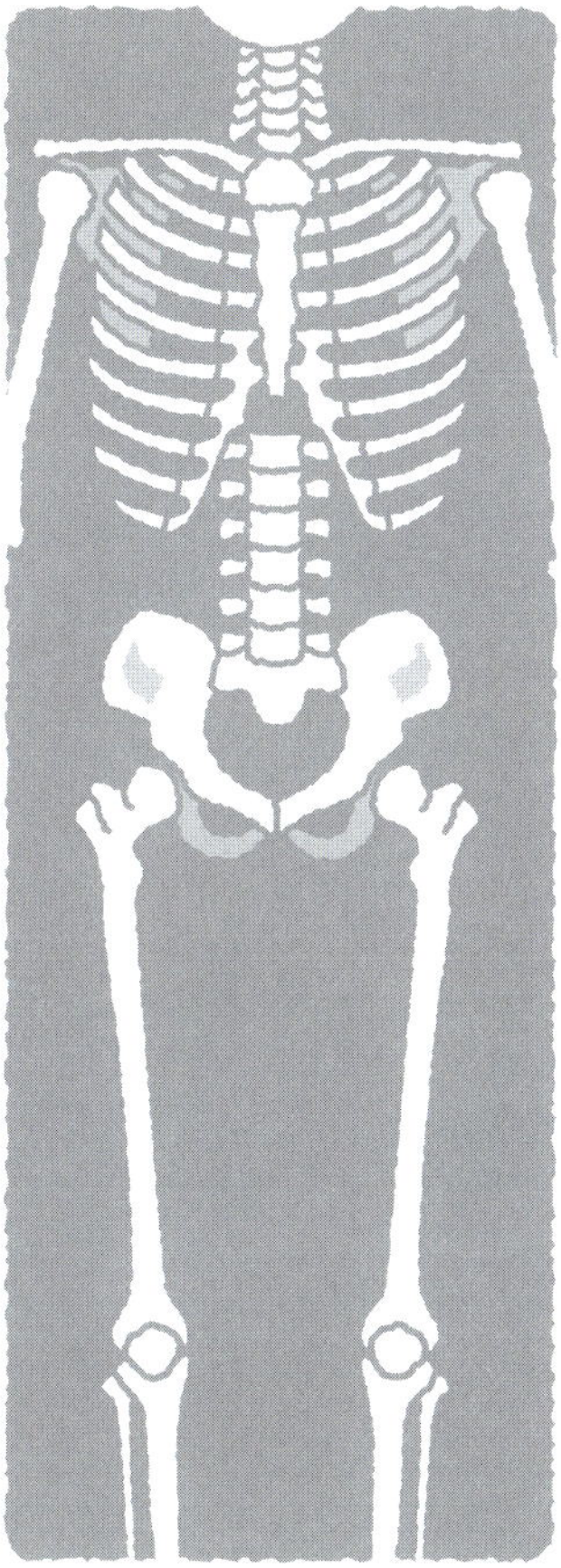

この骨格図を見てください。ちなみに**股関節**というのは、太腿の骨と骨盤とをつなぐ関節です。ですからかなり、身体の外側にあります。太腿の付け根が股関節だと勘違いしている人の方が、多いかもしれません。これも意識の変化で、少し変わります。

股関節の位置を正しくイメージします。

すると**太腿が楽に持ち上がるようになります**。太腿の付け根に近い所では、内側と外側では重さが違います。外側に太い骨がある分、外側がより重くなっています。この重い骨に意識が向けられるようになるので、軽く持ち上がるというわけです。

左に軽い物、右に重い物が入った箱を持ち上げる時に、右の方が重いと意識した方が効率的に力を掛けられますよね。漠然と持ち上げるよりも、筋肉が効率的に働いている分、楽な作業になります。それと同じです。

これは余談でした。本題に戻ります。

骨格図を見る限り、足の付け根は、どうも股関節の位置のようにしか見えないかもしれません。少し勘を働かせた人は、骨盤が足の付け根ではないかと睨んでいるかもしれません。確かに腕の付け根が肩甲骨であることを思えば、その応用で、骨盤が足の付け根だと考えるでしょう。

けれどもそれも違います。

足の付け根は、もっともっと、はるかに上です。

足の付け根の位置は、この図のように、**鳩尾《きゅうび》（みぞおち）の少し下あたり**です。

患者さんに、ラテンダンスを習っている方がおられます。その先生も、この足の付け根イメージを、指導されていたそうです。足が太腿の付け根から生えているとイメージしている人間は、ステップが重く、ドタドタした動きになります。ところがこの図のように足をイメージすると、ステップが軽くなります。

　その根拠は、まず重心が上がることです。よくスポーツや武道の世界で、「重心を低く」という指導、フレーズを耳にします。これは下半身がしっかりとして、安定性が増すからです。しかし重心が低くなれば、安定性は向上する代わりに、軽やかにステップを踏めません。腰を落として膝を曲げて重心を低くした姿勢では、相撲のすり足の稽古はできても、タップダンスは踊れません。

　コサックダンスは例外に見えますが、しゃがみながら足を交互に蹴り出す動きの時には、**実は重心は上に位置しています**。つまり前ページの図と同様、鳩尾のあたりです。素人が遊びで真似をしてうまくいかない理由の一つに、重心を下に落としてしまって、ステップが重くなってしまうことが挙げられます。過去にチャレンジして断念された方、ぜひ改めて、挑戦してみてください。

　重心が上がると、不安定になる代わりに、足元が軽くなります。軽いステップは、ダンスの時だけでなく、**足を動かす動作のすべて**に活きます。ただ歩くだけの動作でも、重心を高くした軽いステップを踏めば、軽快にサクサク進んでいくでしょう。

では次に、なぜ、足の付け根が鳩尾の少し下あたりにあるのかをご説明します。

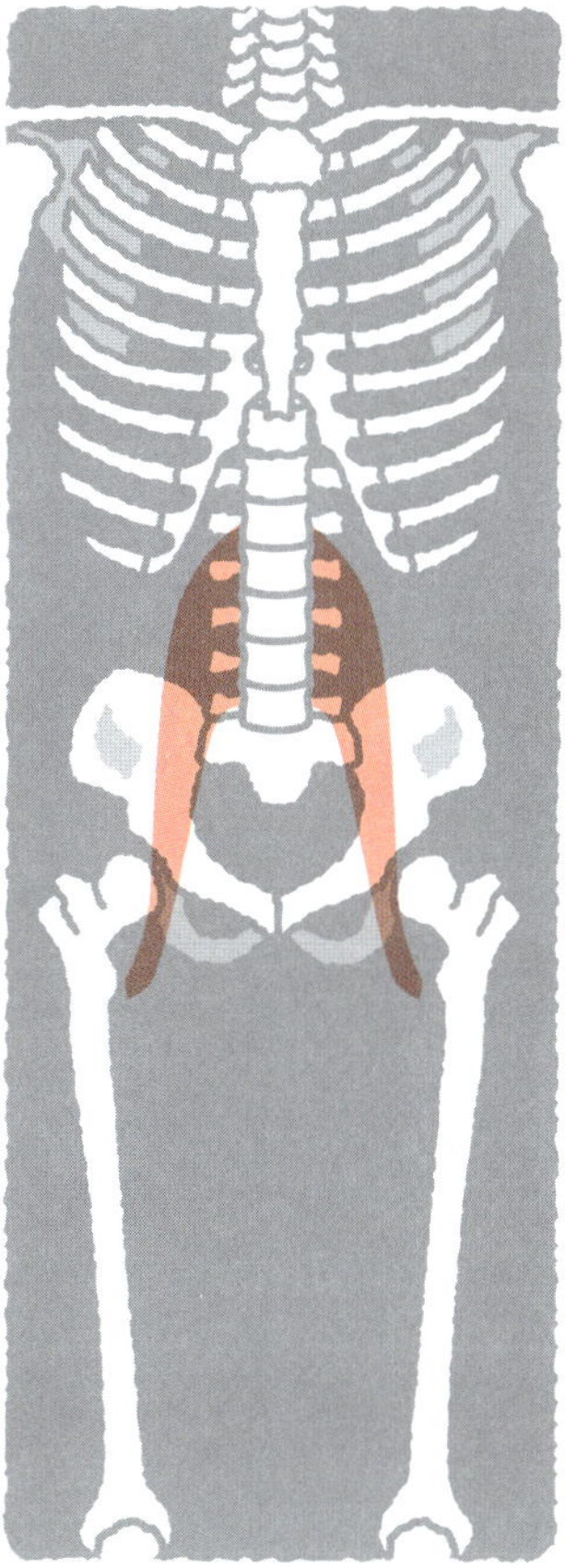

この部分の筋肉は大腰筋《だいようきん》と呼ばれています。近年、注目を浴びている筋肉です。雑誌やテレビで取り上げられる機会も多いので、覚えのある方もおられると思います。運動能力向上の観点から、スポーツ界でも注目されていて、大腰筋を鍛えるエクササイズもあります。またお年寄りの転倒防止のために、この大腰筋を鍛える指導もあります。

大腰筋の**形**に注目してください。上の始まりは、鳩尾の少し下あたりになります。両側の背骨に、広範囲にしっかりと付いています。終わりは太腿の骨の内側のでっぱりです。背骨を起点にして、太腿の骨を動かす。これが大腰筋の機能です。太腿を上げたり、前に出したりする動作です。

骨格レベルで見ると、足の付け根は股関節のように見えます。骨盤が動けば股関節の位置も動くので、その意味で、骨盤のように見えるかもしれません。しかし**足の骨を動かす筋肉に着目すると、大腰筋の上の端っこが、足の付け根になります**。

次のイラストを見てください。

①

②

①の人は、「太腿の付け根が、足の付け根だ」と思っています。ですから歩く時には、股関節を頂点にした振り子運動になります。

②の人は、「鳩尾の少し下あたりが足の付け根だ」と、正しくイメージできています。大腰筋の上の端っこを頂点にした、大きな振り子運動になっています。

歩幅に注目してください。右の人の方が、振り子が大きい分、歩幅も大きくなっています。股関節を頂点にするのと、大腰筋の上の端を頂点にするのとでは、振り子のサイズに差が出ます。

歩くスピードも違ってきます。同じピッチなら、大きな振り子で歩いた方が、明らかに速いです。

外に出た時に、歩いている人を観察してみてください。

ほとんどの人が、股関節を頂点にした小さい振り子で歩いています。

急いでいる人でも、足の付け根を一所懸命に動かして、小さい歩幅でセコセコとした動きになっています。

正しく美しく、力強く、速く歩く

それでは、歩く練習をします。

① 鳩尾の少し下のあたりから足が生え、太腿につながっているイメージをしてください。

⇐

② 一歩を大きく、前に踏み出してください。

⇐

③ そして元気に、前に進みます。リズムに乗って、どんどん進んでください。

いかがでしょうか。

今までとは違う、大きな歩幅で悠然と歩けたかと思います。

最初はぎこちなくても大丈夫です。今までとは違う動きをしているので、身体が動き方を学んでいないだけです。すぐに慣れます。

今歩いてみて、感じがわからなかった人は、鳩尾の下あたりを足の付け根だと強く意識して、繰り返してください。太腿の付け根を前に出す意識は、ゼロにします。大腰筋《だいようきん》が働けば、太腿の付け根を動かそうとしなくても、自然と前に出ます。大丈夫です。繰り返す内に、きっと理解できます。

大腰筋を使ってしっかりと歩けると、自然と、綺麗なフォームが作られます。それを実際に試してみて、気が付かれた方も多いかと思います。背筋がスッと伸びて、シャキッとした姿勢で、まるでファッションショーのモデルのようです。背筋が丸くなってしまうと、大腰筋を使いにくくなります。

鳩尾《きゅうび》の下あたりから足が生えているイメージは、大腰筋を使う意識です。歩く時に大腰筋を使おうと思えば、自然と、背筋も伸びるというわけです。

また昔からよく耳にする、正しい歩き方があります。「踵《かかと》から地面に着いて、親指で地面を蹴《け》って抜ける」という動作です。この歩き方の動作も、比較的、自然と身に付きます。

大腰筋を使った歩き方は、一歩一歩の歩幅が広いので、踵から着地する方が楽だからです。踵から着地すれば、後は自然と親指で蹴って抜く形が出来上がります。

またそうすると、意識しなくても、軽く手が振られていると思います。肩から先は、脱力しています。余計な力は入っていません。こんな風に歩ければ、**気分も晴れやかです**。

今度は両手を強く振って、速く歩いてみます。

両手を強く振るとは言っても、これは手先の意識ではありません。前の章で学んだように、肩甲骨を腕の付け根にして、動かします。肩関節は直接動かしません。肩の力は抜いておいてください。肩甲骨が動くので、自然と肩関節も振られて、腕が前に出ます。

たまに勘違いする人がいますが、右手と右足が同時に出て、左手と左足が同時に出る「ナンバ歩き」ではありません。普通に右手と左足、左手と右足という形で交差する、一般的な歩き方です。

肩甲骨を意識して、力強く、腕を振ってください。しつこいようですが、肩から先は力を入れません。完全に脱力されて、肩甲骨の動きに振られているだけです。

ピッチを速めて、リズムに乗って、どんどん力強く歩いてみてください。

いかがでしょうか。

これはセミナーでお教えすると、ビックリされる人が大勢います。

今まで彼らには、**こんなにも力強く、グイグイと前に進んだ経験**がないからです。自分でも怖いくらいのスピードが乗って、あなたの身体は、前に前に運ばれていきます。

これがあなたの身体にある、本来の能力です。

ちゃんと理解して使えば、歩き方ひとつでも、こんなに違います。

速く歩こうとする時に、両手を強く振る意識をする人はいます。しかしそのほとんどは、肩から下を強くイメージしています。肩から下の腕をいくら一所懸命に振っても、あまり推進力にはなりません。多少は前に進む勢いになりますが、力のロスの方が大きくなります。例えば10頑張ったのに、成果が3しか出ないような感じです。

足を固定して立って、両手を歩く時のように振ってみればわかります。

肩から先だけを元気良く振ってみてください。

次に肩甲骨を腕の付け根だと思って、元気良く振ってみてください。

いかがでしょうか。**肩甲骨から元気に振ると、全身に響く**のがわかると思います。ところが肩から先の小手先では、ただ腕を振っているだけのことで、身体全体には何も響きません。小手先だけで、運動エネルギーが終わってしまいます。これが推進力にならない、力のロスです。

もしかしたらあなたは、この力強い歩き方を、まだ使いこなせないかもしれません。前にどんどん進もうとする勢いを、制御し切れないで持て余してしまうケースがあります。

それは筋力が不足しているからです。

筋肉は普段の動きの中で、必要とされるものが鍛えられます。今までにない動きには、まだそれに対応する筋力が出来上がっていません。あまり無理せず、続けていく内に、必要な筋肉は自然と付きます。ですから大丈夫です。その時には、あなたはこの常識はずれの推進力、勢いを、完全に自分のものにできます。

のんびりと歩く時には、振り子のサイズを小さくしないで、大きな振り子をゆったりと動かします。歩幅の着地点も、場合によって調整します。手前で着地させても、フォームは崩れません。のんびり歩く姿勢も、ゆったりと優雅で、きっと美しいものになっています。

そしてあなたは気付くと思います。**のんびり歩きのスピードは同じでも、より楽に少ない労力で歩ける**ので、気持ちはさらに落ち着きます。省エネ分、心に余力ができます。歩きながらの会話も、もっと楽しめるかもしれませんね。考えごとでも、良いアイデアが出そうです。

でも気持ちが落ち着くのには、他にもっと大きな理由があります。それを後ほど改めて、お話しします。

少しだけ、背骨の意識を強くしてみる

もう一つだけ、大切なポイントをお伝えします。ここを理解して実感できると、さらに足の使い方がうまくなります。

大腰筋は背骨についている筋肉です。**鳩尾の下あたりに足の付け根があるイメージをそのままにして、背骨の意識を強くしてみてください**。こうすることで、もっとダイレクトに大腰筋に響きます。より正確に、大腰筋の場所を意識できるからです。

歩き方のイメージとしては、背骨から出発して、足が前に出されるような形になります。私が初めてこのイメージを取り入れた時に、とても奇妙な感じがしました。**まるで誰かに、後ろから腰を押してもらっているようなのです。**

使われる筋肉も変わってきます。身体の前側の筋肉は使われなくなり、背中側の筋肉をより働かせるようになります。**特に太腿の後ろ側を意識してみてください**。より力強く、躍動しているのに気付くはずです。前に進む時には、身体の後ろ側の筋肉を使うのが正解です。

この正解にたどり着くだけでも、身体をより上手に使えるようになるのです。

骨盤が、呼吸が、血流が良くなる…

骨盤矯正を受けられた経験はありますか？

もし定期的に骨盤矯正を受けているなら、**もう二度と、その必要はなくなるかもしれません。**

大腰筋は背骨から始まり、骨盤のすぐ前を通っています。大腰筋は骨盤を安定させるための筋肉でもあります。

人間の身体は、使えば発達し、使わなければ衰えるように出来ています。

私も十代の若さで入院した経験がありますが、たった１週間ベッドで寝ていただけで、心肺機能や全身の筋肉が衰えました。普通に歩いて２階に上がるだけの作業でも、びっくりするくらいに疲れ果てました。骨折で１カ月も入院した時には、松葉杖で家に帰るのに、普通なら５分の距離を45分もかかってしまいました。

もしあなたが今まで大腰筋を使っていなければ、長年の間、発達せずに放置されていたかもしれません。

「大腰筋は日常では、あまり使われない」。こんな風に、ズレた説明を見かけることもあります。正しい身体の使い方では、大腰筋は使わない筋肉などではなく、ほとんどすべての動作の基礎になります。

大腰筋を使わずに衰えさせてしまうと、骨盤は不安定になります。それが歪みの原因になります。筋肉は使っていけば、その運動に適したように強化されます。大腰筋を鍛えるエクササイズも、いろいろと考案されています。流行したバランスボールも、大腰筋を鍛えられるとアピールされていました。しかし特別なエクササイズは、あまり必要ではありません。**ただ正しく歩くだけで、大腰筋は鍛えられる**からです。

多くのケースで、やがて骨盤は安定し、慢性的な歪みからも解放されます。定期的な骨盤矯正を勧めて利益を得ている整体院にとっては、迷惑な事実です。

骨盤を安定させるための筋肉は、大腰筋だけではありません。骨盤周辺の複数の筋肉が、骨盤を安定させるために働いています。けれどもその主役である大腰筋が弱まれば、他の筋肉達にシワ寄せが来ます。日常の動作の負担に耐え切れず、筋肉が委縮してしまいます。委縮して硬直化した筋肉が、骨盤を引っ張り、歪めてしまいます。大腰筋自体が委縮しても、骨盤を歪める要因になります。

大腰筋が機能していれば、他の骨盤周辺の筋肉も、楽にそれぞれの仕事ができます。余計な筋肉の緊張がなく、骨盤も簡単には歪みません。負担に対しての余力があるからです。

また大腰筋を使って歩いていると、骨盤も柔軟に動きます。

骨盤は動かないブロックのような物ではありません。ところが太腿の付け根を頂点にして、小さい振り子で歩いていると、骨盤はあまり動きません。

骨盤が動くということは、その分、筋肉を使っているということです。使われた筋肉は、その必要性に応じて、機能するようになります。

ですから骨盤はより安定して、強くなります。骨盤周辺の筋肉が委縮すれば、上半身と下半身との血流が滞り、全身のレベルで血流が悪くなってしまいます。大腰筋が機能し、骨盤周辺の筋肉も機能し、血流も良くなる。

ただ正しく歩くだけで、身体の中では、健康になろうと進んでいってくれます。

よく骨盤が歪む原因に、足を組むクセがある、鞄《かばん》を片側で持つ、などが挙げられています。これが一般的な解釈で、定説です。

ですが私はよく、こう患者さんに言っています。「足を組んだり、鞄を片側に持ったりする程度で歪む骨盤なら、骨盤の方に問題があります」。

足を組むとは言っても、つらくなって痺《しび》れるほど、何時間も連続して組むわけではありません。普通は鞄だって、10キロや20キロという重さではありません。もし疲れれば、誰だって反対側に持ち替えます。そんな程度の負荷で歪んで、その歪みが自然治癒できないほどに深刻になってしまうのであれば、むしろ回復力の鈍さを問題にするべきでしょう。

大して重くもない鞄を、ちょくちょくと左右交互に持ち替え続ける。それをしなければ、骨格が歪んでしまう。人間の身体は、こんなにも弱いものなのでしょうか。

弱った身体のケアの仕方が、いつの間にか、万人共通の教訓のように語られています。それ以前の問題として、弱った身体を強くする方が、はるかに建設的で前向きです。

私も元々、かなり骨盤を歪めているタイプでした。けれども体質改善に取り組んでいく中で、骨盤の歪みは起こらなくなりました。足も組みますし、鞄を持つ側も気にしていません。疲れた時には歪む場合もありますが、寝て起きれば、綺麗に回復しているのが普通です。

この本の最初、呼吸の章を思い出してください。

肺の収縮は、肺周辺の筋肉で行っています。肺自体が動いているわけではありません。正しい歩き方で、骨盤の歪みが取れてくると、血流が良くなります。それが上半身の筋肉の緊張を和らげ、肺の収縮も楽に行えるようになります。

またこの他にも、横隔膜に直接の影響があります。大腰筋は横隔膜に接していて、相互に影響を及ぼします。大腰筋が活発に動けるようになると、横隔膜も元気になり、腹式呼吸が深くできるようになります。この時には骨盤も変に緊張せず、緩んでいます。ですから横隔膜が下がって、内臓が押し出されるのを吸収してくれます。呼吸はます、深くできるようになります。呼吸が深くなって酸素の摂取量が増えると、血流もさらに良くなっていきます。こんな風に、身体は前に前に進んでいきます。

私の所にいらっしゃる患者さんの中でも、大腰筋が弱っているケースが多くあります。足の上がりが鈍かったり、その時に上体が安定せず、傾いてしまったりします。

こういうケースの方は、代わりに**大腿《だいたい》四《し》頭筋《とうきん》**という、太腿の前の筋肉に頼るようになります。

大腰筋の働きは、施術によっても改善できます。

ここで問題です。

次の中で、大腰筋の改善に結びつく施術は、どれでしょうか？

①経絡（気の流れ道）の腎経を整える。
②呼吸を拡大する。
③頭蓋骨の緊張を和らげる。
④仙骨の歪みを治す。
⑤チャクラを整える。

正解は……すべてです。ここに書いたすべての方法で、大腰筋は改善され得ます。

ごめんなさい。入試で出たら、ひどい引っ掛け問題ですね。

人間の身体は、一つのきっかけを足掛かりにして、前に前に進もうとします。自然治癒力は連鎖するものです。

例えば頭蓋骨の緊張が和らぐと、脳と脳神経が圧迫から解放されます。身体の運営がより良くできるようになり、その連鎖が、巡り巡って大腰筋の改善に結びつきます。経絡も呼吸も、すべては同じ理屈です。何か良くなる「きっかけ」さえ与えてあげれば、身体はその新しい環境を利用して、必ず良くなろうと頑張ります。

ですがその時々で、どんな施術が良いのかは、変わってきます。大腰筋に限らず、症状は同じでも、その原因となる背景はさまざまです。この選択肢にない方法も、過去に一度か二度しか使っていない方法も含めたら、まだまだたくさんあります。

大腰筋を使って歩くという取り組みは、この施術を受けているのと、本質的にはまったく同じ意味になります。

自然治癒の連鎖を引き起こす起点を、身体にプレゼントしてあげる。身体はこの素晴らしい贈り物を、すぐにその場で開けて、大喜びで使ってくれます。

上半身と下半身とを、高度に連動させる意識

太腿の付け根や股関節を足の付け根だと誤ってイメージすると、上半身と下半身とが、バラバラになってしまいます。

こうした人は、まさか骨盤が動くとは考えていません。身体というものを、

上半身…動かない骨盤…下半身

といった形で認識しています。認識とは言っても、何となくそう思っている程度の、浅い段階です。けれどもその浅い認識が、身体の使い方を歪めてしまいます。

上半身は上半身だけで動かし、下半身は下半身だけで動かす。上下の動きを組み合わせて、歩いたり、物を取ったり、さまざまな動きをしています。それはそれで、取り立てて不便のないレベルです。多くの人が、これで良いと満足してしまっています。

ですが**正しい身体の認識から見ると、ロスの大きい、非効率な扱い方です**。

大腰筋は**上半身と下半身とを連絡する、唯一の大きな筋肉**です。足の付け根のイメージを、正しく鳩尾の下に持てると、身体の使い方が格段に上手になります。バラバラに動いていた上半身と下半身とが、高いレベルで**連動**できるようになります。

大腰筋をしっかりと使って歩いてみた時を、思い出してください。

太腿の付け根を頂点にした、小さい振り子では、下半身だけで前に進んでいくイメージでした。ところが大腰筋を使った大きな振り子だと、全身を使ってダイナミックに進んでいくイメージになります。骨盤から下の下半身だけでは、弱々しい歩き方にしかなりません。大腰筋を使って**上半身と連動する**からこそ、動きに力強さが生まれます。

けれども逆に、完全に下半身だけで歩くという身体の使い方も、普通はあり得ません。太腿が足の付け根のイメージであっても、大腰筋が完全に沈黙して働いていないわけではありません。間違ったイメージでも、多少は上半身と下半身との連動はあります。ただそれは、太腿の付け根を前に出すための、必要最小限の参加にとどまっています。これは身体の使い方としては、低いレベルになります。

上半身と下半身とが高いレベルで連動すれば、歩き方だけではなく、他のものも変わってきます。動き方の質そのものが、根っこから効率的に、美しく、力強く、改善されます。

ここで上半身と下半身とを連動させる、より高度な動きを練習していきます。

鳩尾の少し下、本当の足の付け根の位置を、人間の動作の中心だと考えてください。

①イラストの丸い点を中心だと意識して、振りかえる動作をしてみてください。

②次に中心点を忘れて、首をねじる意識を強くして、振りかえってみてください。

⇐

いかがでしょうか。中心点を意識した方が、よりスムーズに動けたと思います。

どんな動作でも、**根元からスタートして、末端に向けて次第に連動していくのが正解**です。首をねじる意識を強くしてしまうと、動く順番が逆になってしまいます。

動作の正しい順序は、こんなイメージです。

①まず中心軸が決まります。

②体幹部をひねり始めて、

③肩が続いて、

④最後に首です。

よりスムーズに、効率よく、気持ちよく動作が完成します。

逆に今度は、間違ったイメージです。まず首を後ろに向けようと、意識を強くします。首を回そうとして、もうこれ以上は動かせないと、限界に達する。続いて肩を回そうとして、限界に達する。仕方がないから腰を回すという順序になります。末端から振り回してしまっていると、ぎくしゃくした動きになってしまいます。

何度か試してみて、違いを実感してみてください。

体幹部↓肩↓首と意識する必要はありません。ただ**中心点から動作をスタートさせる意識**を持つだけで、自動的にこの順番になります。

見返り美人のポジションは、もう目前です。

今度は立った姿勢で、めちゃくちゃでもよいので、いろいろと動いてみてください。

約束事は一つです。**動作の中心点だけを意識してください。**

歩いてみたり、方向転換をしてみたり、踊ってみたり、シャドーボクシングをしてみたり、いろいろです。

この時に、手先、足先から動かす意識は持ちません。すべての動作は、中心点からスタートして、身体の末端へとつながっていきます。

最初はゆっくり目で、だんだんとスピードを上げていってください。

身体の中心点が決まると、動きにキレとしなやかさが生まれます。

手先、足先の決めに注意を向けてください。 動作の終わりで、ピタッと綺麗に止まっています。

手先や足先を意識すると、こうはいきません。綺麗に止まらず、最後にブレてしまいます。するとブレを抑えつける、余計な段階が必要になります。ブレを抑えつけてからでないと、次の動作には移れません。しなやかさとは縁遠い、ガクガクした印象になってしまいます。

動き続けてみて、いかがでしょうか。

何となく、気持ち良くありませんか？

もしも気持ち良さがあれば、正解です。**人間の身体は、気持ち良さで、正しい良い物を教えてくれます。**

セミナーでこの段階をダンサーにやってもらったら、いきなりものすごくアクロバティックな光景になりました。逆立ちはする、背中で回る、本人も動きの質の変化に、興奮していました。そこまでする必要性はまったくありませんが、あなたも少し試してみて、動きの質の高さに気付いているでしょう。

もしも鏡に写して見ているなら、動作に**美しさ**を感じているかもしれません。効率的な動きは、機能美を生み出します。また体幹部が動きに大きく参加しているので、**力強さ**もあります。これはスポーツや武道、ダンスなどの分野に、そのまま応用できる基礎になります。

動作の中心点を意識すると、大腰筋が上手に使えるようになります。

残念ながら、大腰筋は意識のしにくい筋肉です。力こぶを作る上腕二頭筋《じょうわんにとうきん》や、スクワットの時に意識する腿《もも》の前側のような、存在感がありません。**身体の中心で静かに、けれども力強く働く筋肉**です。太腿を前に動かしたり、上半身を屈めたりする他に、**身体の芯**を安定させる役割があります。骨盤が上半身の重さに耐えられるのも、大腰筋がしっかりと支えていてくれるからです。

動作の中心点は、ちょうど、大腰筋の始まりでした。身体の芯が安定すれば、一つひとつの動作も、綺麗に整います。芯が安定するという意味は、大腰筋が硬直するイメージではありません。柔軟で弾力性に富み、必要に応じて伸び縮みして、身体の芯を支えてくれます。

もしも大腰筋が硬直してしまえば、身体の自由が利かなくなります。極端な話、二本の大きな鉄パイプを入れておくようなものです。

動作の中心点がズレてしまうと、身体の芯が振り回されてしまいます。動作は安定しません。

動作の中心点を起点にして、運動連鎖が末端に及んでいく。これが最も効率的で、力強く、機能美に満ちた姿です。優れたスポーツ選手のハイパフォーマンスと、プレーの美しさが両立するのには、こんな背景があります。

正しく歩くと、心も正しくなる

元気に大股で歩きながら、クヨクヨと考えるのは難しいです。

逆にうつむいて、歩幅を小さくして歩いていると、何でもなくても落ち込んできます。

人間の心は身体と密接につながっているので、歩き方一つだけでも、精神状態が大きく変わります。どんなに落ち込んだ人でも、上を向いて大手を振って歩けば、それだけで元気が湧き出てきます。

もしあなたや、近くにいる人が落ち込んでいたら、とりあえず外に出ましょう。そして元気良くお散歩です。

できれば明るい時間帯の方が良いです。街でも構いませんが、気分の良い公園などなら最高です。外に出るだけでも気分転換になるのに、さらに元気に歩くという動作が加われば、そんじょそこらの落ち込みなら吹き飛んでしまいます。

歩くという動作は、当然ですが、前に進んでいきます。前に進んでいるという事実が、まずその人を、前向きな気持ちにさせます。「人間は前に進んでいける」、それは「生きていれば、どんなに苦しい状況でも、前に進めるんだ」という事実を表現してくれます。視線を少し上に向けるのは、向上を意味します。元気が加われば、勇気が出ます。開放的な外の空間は、自由と無限の可能性、つまり希望です。

ただ歩くだけの行為が、こんなにも、あなたに正気な姿を教えてくれます。

もしこの動作をしても、まったく気分が上がらない、効果がないという状態の時には、その人は今の現実を生きていません。心が過去の嫌な体験や出来事に飛んでしまっています。すると風景の移り変わりや、自分の身体の動きを認識できません。心が認識をしなければ、気分は変わりません。


そんなときには、とりあえず、立ち止まります。

そして周りを見渡してみて、見える物を一つひとつ、確認していきましょう。


建物や木、若者、お年寄り、郵便ポスト、太陽と雲、さまざまな物が目に入ってきます。それらに一つひとつ、焦点を当てて、確認していきます。

建物は何色ですか？　木はどんな形をしていましたか？　若者は何を喋《しゃべ》っていますか？　何かに触って、感触を確かめてみましょう。固いですか？　柔らかいですか？　サラッとしていますか？　ベタついていますか？　匂いはありますか？

顔に当たる日差しや風、遠くに聞こえるカラスの鳴き声、靴と靴下を通して伝わってくるアスファルトの固さ、すべてが**今ある現実**です。あなたは今を生きています。

ぼんやりとした頭がスッキリと冴《さ》え、世界に現実感が出てきたら成功です。

改めて前を見据えて、少しだけ上を向いて、力強く一歩を踏み出してください。

今度は違う世界を生きていると感じられるかもしれません。

大腰筋を積極的に使う意識が入ると、この心の効果はもっと強くなります。

大腰筋は人間にとって、前向きさ、活力、モチベーションと深く関わる筋肉です。

太腿の付け根を頂点にする小さな振り子でも、もちろん、効果はあります。ですがその元気は、本質を伴わない、カラ元気のように思えます。

大腰筋からしっかりと歩くと、芯から元気が湧き出てくるような気がします。

カラ元気では、気分転換の一時しのぎです。

芯から元気が湧き出てくれば、そのエネルギーは、人生を向上させる原動力にもなり得ます。

大腰筋の場所を、もう一度、確認してみてください。

身体の中心である、背骨にしっかりと付いています。

人間の精神エネルギーは、体幹部と頭の中心線にあります。前の章、肩甲骨の話の中で、**チャクラ**についてお伝えしました。

大腰筋は肩甲骨よりも、さらに身体の中心に近くなっています。人間の精神に、大腰筋はもっと深く関わっています。

ただ単純に太腿の付け根を動かす歩き方と、身体の中心軸からの歩き方とでは、意

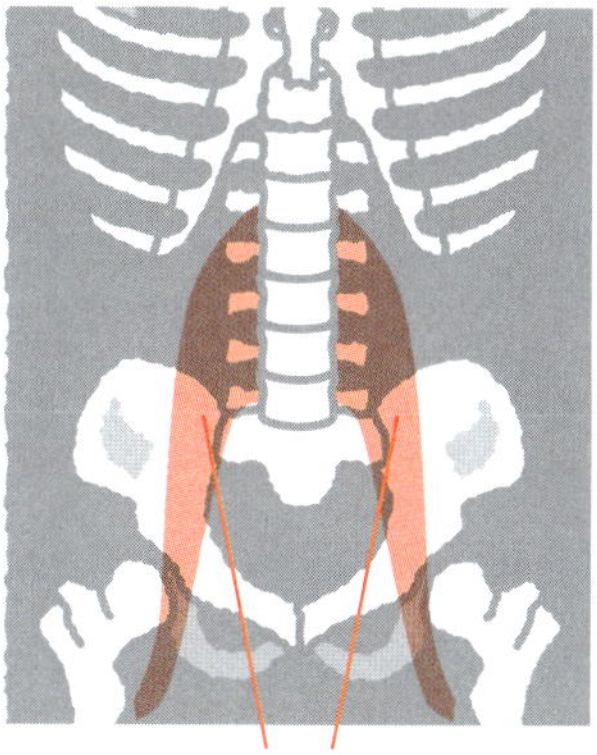

大腰筋

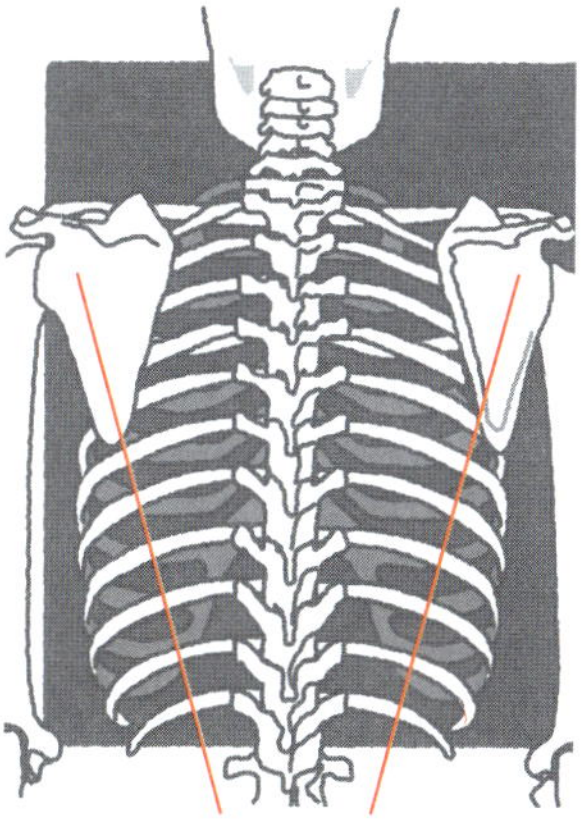

肩甲骨

味がまったく違ったものになります。

身体の中心軸からというのは、大腰筋をしっかりと使って歩くことにつながります。大腰筋を使って歩くと、背筋がピンと伸びて、身体の中心軸がピタッと決まります。中心軸に流れる気が、スッと綺麗に通ります。頭の方に上がれば上がるほど、エネルギーの次元は高くなります。これは質が良くなるという意味ではありません。

次元の低いエネルギーは劣るものではなく、必要なものです。異なる次元のエネルギーが揃っているからこそ、人間は人間として生きていけます。上の領域では、他人を蹴落とすような私利私欲は消えます。自分も生きるし、他人も生きる。全体の利益も同時に考えて、物事を判断しようとします。

頭上から股下まで一本の線が通えば、あなたの精神エネルギーは理想的な形で働き始めます。

こんな歩き方をしていると、意地悪な考え、邪悪な考え、卑屈な思いなどは、しにくくなります。歩くのを止め、立ち止まった時でも、精神エネルギーの流れは維持されています。あなたは**ただ歩くだけで、元気と良い人間性の、二つを手に入れられます。**

ただ日常生活の中で、どうしても効果は薄れてきます。

一日一回のウォーキングを、ぜひ、日課にしてみてください。

噛《か》み砕いてわかりやすく言うと、**いつも爽やかな気持ちでいましょう！**っていうことです。

爽やかな気持ちで、陰湿な犯罪は起こせません。人間は爽やかな気分でいれば、誰だって、その時は好人物です。

もしあなたが、暗い気持ちから抜け出したいと願っているなら、

今すぐに散歩に出掛けてみてください。

陰湿な気持ちでは、前向きに動く気になんかなれません。けれどもあなたは今、この本を読んで、エネルギーをもらっています。何かを変えるなら、今がチャンスです。

もちろん、歩くだけですべての人が救われるわけではありません。でも本当に、嘘のような話ですが、これだけで救われる人がいます。

人生が変わるきっかけになる人がいます。

あなたもその内の一人かもしれません。誰もその可能性を否定できません。暗い気持ちから抜け出せないにしても、出口には必ず近づいています。

気持ちが暗いというレベルではないけれども、何だかモチベーションが上がらない。退屈でつまらない。頑張りたいけれども、その元気が出ない。

そういった方にも、大腰筋を使った散歩をお勧めします。

このような精神状態は、もう一歩で前向きになれる所にあります。不幸ではないけれども、幸福でもない。こんな精神状態は、現代人の平均かもしれません。

自分の意志で生きるのを止めて、他人や社会に流されてしまうと、人間は幸福ではなくなります。もしあなたが政治を他人事だと感じていたら、社会に流される人生を選んでいる証拠かもしれません。

会社で自分から動かず、指示を待つだけの人間になっていませんか？

ファッションで自分のセンスよりも、流行を優先させていませんか？

こういった精神状態では、人生は「刺激がある時は楽しいけれども、基本は退屈でつまらない」と考えています。ブランド品を買ったり、デートをしたり、ギャンブルをしたり、幸福のためには、特別な何かが必要だと考えています。つまり外部からの刺激にしか、喜びを見出せない状態です。あのマリー・アントワネットも、こんな精神状態だったのかもしれませんね。舞踏会やギャンブル、不倫の恋、見れば、刺激に次ぐ刺激を求めています。

身体の中心軸には、眠らされているあなた自身の意志があります。

大腰筋を使って、前に前に歩いてください。身体はきっと、受け身ではなく、自分の意志で生きる喜びを伝えてくれます。

散歩が終わって、刺激を求めるのとは違う、何かをしようという気持ちが芽生えてきたら、あなたはもう変わり始めています。

例えば部屋の掃除、手間のかかる料理、中断していた英会話教材、そんなことです。単なる部屋の掃除でも、気分が乗っていると、楽しいものです。

幸せな人は、何をしていても幸せです。

経絡《けいらく》、気の流れ道のお話をします。

大腰筋は、**腎経《じんけい》**という経絡と深く関わっています。腎経が乱れると、大腰筋も衰えてしまいます。

気は人間の心と身体を動かす、動力、エネルギーです。腎経は人間のやる気、モチベーション、気力を生み出す源です。歩いて大腰筋を使うということは、腎経の流れを刺激するのと、同じ意味になります。

人間の心は、特別な方法でケアをしない限り、誰しもが何らかの問題を抱えています。けれども深刻なレベルに追い込まれていなければ、その問題を大きく表面に出さないで済みます。腎経が活発に働いているうちは、心も大きく崩れたりはしません。

大腰筋を使った散歩の日課は、あなたの精神バランスを整える、頼もしいパートナーになってくれます。

ただ体調が悪い時に、無理にはウォーキングをしないでください。

気持ち良さよりも、つらさが勝ってしまえば、逆効果になります。そして量をやればやるほど、良いというわけでもありません。一日に5分でも10分でも大丈夫です。

これを念のために書いておかないと、生真面目な人が過剰に取り組んでしまって、逆効果になってしまう心配があります。

身体に良いという宣伝文句のスポーツ飲料を、飲めば飲むほど良いと思って、糖尿病になってしまった人もいます。何事にも、ほどほどの良い量があります。私も身体を鍛えようと思って、鉄アレイを持ってスクワットをしていたら、膝を痛めてしまった経験があります。無理なく、気持ち良く、取り組んでみてください。

心と動作をつなぐ

前の章での、「お茶を出す動作」を思い返してください。

小手先には心が入りません。肩甲骨からの動き出しによって、体幹部《たいかんぶ》が動作に加わり、おもてなしの心が宿ります。**人間の精神のエネルギーは、体幹部分の中心線にあります。**小手先だけの動きに心を感じられないのは、心である体幹部が入っていないからです。

お茶を出す動作は、腕だけでは成立しません。必要な高さまで身を屈める、正座する、身体をひねるなど、全身を使います。大腰筋を意識する動作の中心点が、ここでも活用されます。

大腰筋はやる気、モチベーションの筋肉です。大腰筋が動作に参加すれば、そこに心を大きく込められます。

動き方のイメージとしては、こうです。

動作の中心点から出発して、内側から外側に広がっていきます。

身体を最適な高さに屈めながら、ひねって微調整します。

肩甲骨から腕が動きだし、そっとテーブルに置かれます。

実に優雅で、品のある動作に見えます。育ちの良さが、印象に残るでしょう。

逆に、お茶を持った手先から出発すると、動作は無骨で品がなくなります。

小手先だけでは置けないので、仕方がなく、体幹部を動かすような順番です。性格が悪いとまでは評価されませんが、大ざっぱで粗野な印象を残してしまうでしょう。

こういう置き方をする人は、「茶碗をテーブルに向って移動させる」ことしか考えていません。目的が物質だけになってしまっていて、心がありません。もし真心を込める意識があるなら、肩甲骨や動作の中心点の知識がなくても、それに近い動き方になります。あなたもどこかで、こうした動きをする人物に、出会った経験があると思います。

これを書いた瞬間、私には、気の良いおばちゃんの姿の記憶が浮かび上がってきました。

人懐っこい笑顔で、茶碗を両手で持っています。上体を低く屈めて、窮屈そうなくらいに、両脇を閉めています。丁寧にこぼれないよう、そっと目の前に置いてくれました。洗練されたとは言えないかもしれませんが、心を精一杯に表現した、気持ちが温かくなる動作でした。

彼女は肩甲骨が腕の付け根だと知りません。動作の中心点も考えた経験がなく、おそらく大腰筋についても、存在自体を知らないかもしれません。それでも真心を込めるという本質から動作を開始させると、こうも人の心を動かします。

上体を低く屈めるのは、手先だけで出してしまったら、ぞんざいになると感じ取っているからです。窮屈そうに両脇を閉めているのは、腕と体幹部を一体化させようとする、無意識の働きでしょう。とにかく小手先の動きになってしまわないよう、最大限に気を配ってくれた証しだと思います。絶対に「マニュアルにある決まりきった形」ではありません。もしマニュアルに載せるなら、もっと見栄えのする動作を採用するはずです。

このおばちゃんに、もし**動作の中心点と肩甲骨の知識**が付いたら、硬さが取れて、丁寧な動作に優雅さも加わります。もっと相手をリラックスさせ、良い気持ちにさせらるようになるでしょう。

どんな動作にも、理由があります。おもてなしの心を伝える、スポーツで勝つ、ダンスで芸術を追求する、恋人に愛情を表現する、など。動作の中心点から動きが始まれば、どんな領域でも、心が入ります。

動作の中心点が曖昧になると、手先足先の動きになります。どんなに内に強い心を秘めていても、それを表現し切れません。**精神のエネルギーは、身体の中心線、体幹部にあるからです。**

もしあなたがサッカー選手だったら、次の練習の時から、動作の中心点を意識してください。一つひとつのプレーにキレと力強さが出る他にも、精神的な変化を感じられるはずです。パスを出すにも、状況に応じて、いろいろな理由があります。スピードや回転の質、弾道など、理由に応じた最適の選択をします。漠然と何となくプレーするのではなくて、冴えた頭で、意味の濃いボールを蹴ろうとするでしょう。

ボールが当たる足先だけに意識を向けてしまうと、うまくいきません。精神とキックが分離してしまい、その分、プレー全体が雑になります。この時の意識は、身体を硬直させる方向に働き、力の配分を誤らせます。

大腰筋は上半身と下半身とを結ぶだけでなく、心と身体をつなぐものでもあります。心が意図したプレーの動機を、綺麗に動作で表現してくれるのです。

ですから例えばダンスでは、人を感動させる芸術性がもたらされます。

恋人への愛情表現、例えば肩を抱き寄せる動作でも、想いが伝わります。これを手先でぐいっと引っ張ってしまうと、粗暴な自分勝手な印象になります。

またこのモチベーションの筋肉には、心を盛り上げる効果もあります。

抱き寄せた恋人へは、より深く温かい愛情を感じるでしょう。それを相手は、あなたの雰囲気、息遣い、力の掛け具合などから、敏感に感じ取ります。スポーツでは、プレーするごとに気持ちが盛り上がっていきます。

小手先の動きに終始していると、人間はやがて、心を見失ってしまうかもしれません。頭は余計なこともいっぱい考えます。虚栄心やら嫉妬や、雑念であふれかえっています。そんな雑念に支配されて生きていると、何が自分の**本質**なのか、曖昧にぼやけてしまいます。

ほとんどの人が、善と悪とを気分次第で行ったり来たりしながら、日常を送っています。気分が良い時には、多くの人は博愛主義者です。優しく寛容で、愛情に満ちています。逆に気分が悪い時には、他人に八つ当たりをするなど、意地が悪くなります。

できるだけ良い人でいようと考えるのが、常識のある普通の人間です。完全にとはいかないけれども、理性で生きていこうとする姿です。けれども重症化すれば、悪こそが人間の本性であり、本質であるとも考え始めます。人間の本質は間違いなく善ですが、それが入れ替わるほどに、人は歪めるものです。

また人間には、正しくありたいとする欲求があります。自分を悪として見るのは、大変な負担になります。それが正しくあろうとする動機に結びつく人もいれば、現実から目をそむけて、自分に言い訳をして正当化する人もいます。

他人に八つ当たりをしてしまった時に、正しく反省できれば正常です。けれども例えば、自分が怒るには正当な理由があって、誰だって怒れば八つ当たりくらいしたくなる。仕方がないんだ、といった風に考えていたら、その人は自分をごまかしています。どこかスッキリしない気持ちで、罪悪感を見ないようにしています。

チャクラを重視したヨガ、経絡を重視した太極拳などは、**心と動作を結びつけた技術**です。人間は昔から、精神や心は、身体にあると考えてきました。動作によって心の健康や鍛錬を目指すものは、どれもほとんど、**中心線の意識**があります。合気道、剣道、茶道、華道なども、もちろん、これに含まれます。

けれどもあなたは、特別に教室や道場に通わなくても、心の健康に取り組めます。

動作の中心点を意識して、すべての動きの起点にしてください。

いつもは退屈だった掃除や洗濯が、楽しく感じられてウキウキするといった変化が出てきたら、かなり優等生です。

「健全な肉体には、健全な精神が宿る」

この言葉は、本当は嘘《うそ》です。

もともとの由来は、違うニュアンスで語られています。健全な肉体に、健全な精神が宿っていたら、どんなに素晴らしいだろう……と、ローマ詩人が当時の現状を嘆いたのが実際です。今も状況は、そうは変わっていなさそうです。

ですがこれを、

「健全な動作には、健全な精神が宿る」

と言い換えれば、あながち間違いでもありません。

多くの要素が合わさり、人間の心や感情は、定まっていきます。動作はその重要な一つです。それでも道を踏み外し、雑念に翻弄されてしまうのが人間かもしれません。動作さえ改善されれば、必ず満足のいく、真人間に生まれ変われる。こう評価してしまうと、明らかに行き過ぎです。
しかし**健全な身体の動きは、あなたに何が心の正解かを、必ず教えてくれます**。太極拳や座禅、ヨガのポーズなどでなくても、それはあなたにいろいろなものを見せてくれます。

本質からブレなければ、人は絶対に大きくは歪みません。

身体の中心軸を常に意識し続けることには、心の本質を見つめるのと同じ意味があります。

心の本質は**善**です。

例えば善というのは、自分が良く生きて、他人もより良く生きることです。

身体の中心軸の意識は、善い心でより良く生きるための指標（ガイドライン）なのです。

あとがき

健康にまつわる情報は、社会にあふれています。

ただ受け身でいると、聞こえてくるのは「常識」と「広告」の二種類です。

常識はただ、認識が広く共有されているだけのものです。広告は、誰かが儲けようとして発信された情報です。

常識には正しいものも間違っているものもあります。広告は儲けるためのものなので、間違いは少ないにしても、情報に偏りがあります。

特別な有益な情報を得るためには、受け身ではいけません。自分から積極的に手を伸ばして、つかまなければいけません。

誰の目にもとまるのがこの二つなら、私は常識の方を変えようと考えました。

そのために、この本の出版を目指したのです。

幸運なことに、自由国民社の会長の安藤様と編集を担当してくださった竹内様から賛同を得ることができました。「この原稿に書かれている内容は、ぜひ、社会に発信して広めるべきだ」この思いを共有できた時には、大きな喜びでした。安藤様、竹内様、本当にありがとうございます。強く深く感謝しています。そして自由国民社さまと関係をつなげてくださった山本様、ありがとうございます。


一義流気功という名前の由来は、流派ではありません。

「一」は最も少ない数字で、「義」は単純に良いことという意味です。

つまり一つの良いことが「流」れていき、続いていって欲しいという願いを込めた名前です。良い流れの始まりであり続けようという理念です。それが小さな流れでも良いのですが、大きな流れとなったら、こんなに嬉しいことはありません。

この本の出版という始まりが、大きな流れになってくれると願っています。

平成23年9月吉日

小池 義孝

一義流気功治療院院長

小池 義孝（こいけ・よしたか）

昭和48年生まれ。
平成18年、「気功治療院 一義流気功」を東京都に開設。
翌年に気功治療の技術を伝える、「一義流 気功教室」を開設。
気功治療の内容はどの流派にも属さず、
独自の道を歩み続ける。
見えない気功という世界でありながら、
明確な論理に裏付けられているのが特徴。
主に現代医療や一般的な療法で行き詰まった人達に
施術をしている。

一義流気功　町屋治療院
http://www.ichigiryu.com/

一義流　気功教室
http://www.healing-t.com/

Twitter　フォロワー募集！
http://twitter.com/koikeyoshitaka/

FACEBOOK　お気軽に「友達申請」してください
http://www.facebook.com/koikeyoshitaka/

【メルマガ】（無料サービスです　検索は「まぐまぐ　小池義孝」で）
“気”精神エネルギーの専門家がインスピレーションで語る、
「あなたの人生を成功させる」話
http://www.mag2.com/m/0001368295.html
一義流気功 小池義孝が独特のインスピレーションで語る、あなたの人生を豊かに成功させるメールマガジンです。人生の成功とは何でしょうか。経済的な成功、恋愛の成就、家庭の円満、夢の実現、様々です。それらを他の人にはない、独自の鋭いインスピレーションとロジックで後押しします。

【ブログ】（無料サービスです　検索は「アメブロ　小池義孝」で）
あなたの人生を豊かに成功させる！
“気”精神エネルギーの専門家@一義流気功 小池義孝
http://ameblo.jp/koikeyoshitaka/

ねこ背《ぜ》は治《なお》る！
知るだけで体が改善する「4つの意識」

二〇一一年(平成二十三年)十一月一日　初版第一刷発行
二〇一二年(平成二十四年)二月一日　初版第十刷発行

著　者　小池 義孝
発行者　伊藤 滋
発行所　株式会社自由国民社
東京都豊島区高田三—一〇—一一　〒一七一—〇〇三三
http://www.jiyu.co.jp/
振替〇〇一〇〇—六—一八九〇〇九
電話〇三—六二三三—〇七八一（代表）

画　さわたり しげお
造　本　JK
印刷所　新灯印刷株式会社
製本所　新風製本株式会社